출판지도사

세상을 바꾸는 작지만
위대한 움직임!

구경자 권경민 김모정 김미희 김성준 김영희 이영미 정솜결 최성모 황경하

출판지도사

발 행 일   2024년 2월 15일
지 은 이   구경자 권경민 김모정 김미희 김성준
            김영희 이영미 정솜결 최성모 황경하
편   집   권 율
디 자 인   김현순
발 행 인   권경민
발 행 처   한국지식문화원

출판등록   제 2021-000105호 (2021년 05월 25일)
주   소   서울시 서초구 서운로13 중앙로얄빌딩 B126
대표전화   0507-1467-7884
홈페이지   www.kcbooks.org
이 메 일   admin@kcbooks.org
ISBN   979-11-7190-010-7

출판지도사

세상을 바꾸는 작지만 위대한 움직임!

구경자 권경민 김모정 김미희 김성준 김영희 이영미 정솜결 최성모 황경하

한국지식문화원
BOOK PUBLISHING

출판지도사 자격증은 주무부처 문화체육관광부, 발행기관 한국지식문화원으로 등록기관 한국직업능력연구원에 등록된 등록번호 제2023-002854호 민간자격증입니다. 한국지식문화원은 "당신이 살아온 삶의 가치가 세상을 바꾸는 책과 강연이 되는 곳!"이라는 슬로건 하에 도서출판, 강사양성, 강의 진행, 출판지도사 자격증 발행 및 교육을 진행하는 지식문화기업입니다. (www.kcbooks.org)

자격증의 가장 핵심 요소는 고유의 업무 영역, 해당 업무 영역에 실질적인 수요, 업무 영역 확보 및 수익화, 공공기관이나 기업체 강의 수요 존재입니다. 출판지도사는 바로 이점에 중점을 두고 기획된 자격증입니다.

출판지도사 자격증 교육과정은 출판, 집필, 출판사 운영, 강연, 마케팅, 수익화 등의 모든 실전 노하우를 가감 없이 전수합니다. 출판지도사들은 대학교 평생학습관, 지자체 평생학습관, 도서관, 문화센터, 기업, 학교에서 책쓰기·글쓰기 강의를 진행하고 있습니다. 책 출판 지도를 통해 저자를 배출하고 퍼스널 브랜딩을 돕고 있습니다. 단순한 출판 작업에서 끝이 아닙니다. 함께하는 작가들의 명확한 수익화 방향을 제시하고 이끌어 갑니다.

이 책은 한국지식문화원 대표 출판지도사 10인의 출판에 관한 생생한 변화의 이야기를 담고 있습니다. 수많은 집필, 출판발행, 책쓰기 코칭, 강연 경험을 가진 출판지도사들의 경험을 통해 인생 2라운드 인생설계에 새로운 패러다임을 제시합니다.

10인의 출판지도사 저자들과 함께 가는 이들의 인생이 변화되기를 바라는 마음으로 우리의 경험을 공유합니다. 우리와 함께하는 이들의 가슴을 뜨겁게 만들고, 그들의 인생에 변화를 불러오기를 바랍니다.

이 글을 읽는 독자가 자신의 가슴이 뜨거워지는 일을 하면 좋겠습니다. 출판지도사가 되어 자신의 삶을 바꾸고, 타인의 삶을 바꿀 수 있는 길에 동행하면 좋겠습니다. 당신의 가슴이 뜨거워지는 일이 가야 할 길입니다!

권경민
발행인
한국지식문화원 대표

TABLE OF
CONTENTS

구 경 자

작가, 출판지도사, 동화작가지도사, 심리상담사
010. 5489. 3387 overkoo@hanmail.net

학력
상담학 석사, 한국어 정교사

경력
한국지식문화원 교육이사
한국작가협회 세종·충북지부장
한국그림책코칭연구소장
북&스터디 카페 '라온'대표
KACE청주 부모리더십센터장
충북교육청지정 청소년 대안교육기관 대표
부모, 청소년, 노인교육 및 강의 경력 19년

저서
[생각하는 대로 살게 하는 출판 지도사], [1인 기업
퍼스널 브랜딩], [치유가 필요한 그대에게] 외 5권

인생 신호등의 색깔을
바꾸는 출판지도사

"인생은 과감한 모험이던가,
아니면 아무것도 아니다."
- 헬렌 켈러 -

관계를 만들고 사람을 살리는
삶쟁이

"계획을 세우지 않는 것은 실패를 계획하는 것이다."
- 브라이언 트레이시 -

우리가 사는 세상 모든 일의 시작과 끝에는 글쓰기가 있다. 직장인은 일의 성과를 높이기 위한 기획안을 쓰고, 일을 마친 후 보고서를 쓴다. 공부하고 연구하는 사람들은 연구서나 논문을 써야 하고, 하루의 시간을 성찰하며 일기를 쓰기도 한다. 또한 책을 읽고 난 후에는 생각, 느낌을 독후감이나 서평으로 쓰기도 한다. 좋아하는 사람의 마음을 얻으려 연애편지를 쓰기도 하고, 사업체를 광고하려면 홍보 글을 써서 전단지를 만들어 알려야 한다. 이렇듯 글을 쓴다는 것은 작가만의 전유물이 아니다. 글쓰기는 우리 모두의 것이다. 일상의 기록이다.

마찬가지로 글쓰기가 책쓰기로 이어지고 완성되는 것도 특별한 사람만이 할 수 있는 것은 아니다. 머릿속에 가득한 영감과 아이디어, 벅찬 아름다움과 감동, 사람들의 마음을 끄는 근사한 이야기들을 책으로 출판한 시인이나 작가는 좀 더 구체적인 언어로 표현해냈을 뿐. 누구라도 책을 쓸 수 있다. 세상에는 '책을 쓴 사람'과 '책을 쓸 사람'으로 나눌 수 있다고 생각한다. 책을 쓴 사람의 행복한 경험으로 말을 한다면…….

삶의 태도를 가다듬는 한 줄의 글이 때론 누군가의 삶을 통째로 바꾸기도 한다. 또 글과 삶이 엮이는 시간의 이야기들이 한 권의 책으로 엮여 인류의 역사를 바꿔놓기도 한다. 글과 삶을 나누며 성장하는 글쓰기와 책쓰기를 한다는 것은 세상을 변화시키고, 가슴을 뛰게 만든다. 자신이 살아 있다고 느끼는 호흡이 된다.

글이 책이 된다는 것이 얼마나 매력적인 작업인지 나는 알게 되었다. 마지막 문장에 마침표를 찍고 생애 첫 책을 출판했을 때의 짜릿한 쾌감과 행복은 이루 말할 수가 없었다.

여전히 글쓰기가 어렵다고 토로하는 분들이나 한 줄도 쓰지 못한 날엔 자괴감에 어디론가 숨어 버리고만 싶다고 책쓰기 코칭을 청하는 분들을 이끌어 주고 있는 출판지도사로서의 자긍심은 크다. 정말 보람된 일을 하고 있으니 삶의 질도 높게 느껴진다. 출판지도사 교육을 선택하고 집중해서 배웠던 과거의 시간이 참으로 다행이고 감사다. 돌아보니 출판지도사로의 여정은 타인의 삶에 힘을 실어주는 길이었고, 고마움을 전해올 때면 책쓰기의 공공적 효과까지 느끼게 되는 나의 운명적 길이었다.

보고 듣고 느끼는 일상의 경험 속에서 끄적끄적 메모하는 습관이 있었다. 문득 떠오르는 단상들을 낙서처럼 적어두고 혼자만의 시간에서 사색하곤 했다. 누구나 자신이 살아온 만큼 쓰는 것 같다는 생각이 들면서 책을 쓰고 출판하게 되었다.

처음에는 부담감을 줄이기 위해 공저 출판으로 시작했다. 어떤 글이 나오는가는 삶의 경험과 자세, 태도의 문제였다. 같은 주제를 가지고도 자기 문장이나 글의 스타일대로 모두가 다른 개성 있는 글을 썼고 첫 책이 출판되었다. 기쁨과 행복 그 자체였다. 모든 사람이 유명한 작가가 될 수도 없고 될 필요도 없지만, 누구나 글을 쓰고 책을 출판할 수 있다. 하나뿐인 인생 작가가 될 수 있다. 책을 쓰고자 하는 열정의 마음만 준비되었다면 말이다.

장롱 속에 넣어 둔 보석과 같은 존재로 취득 후 실제 사용하지 않는 자격증이 여러 개 있었다. 그러기에 '출판지도사'라는 새로운 자격증에 도전하는 것이 망설여졌다. 그러나 '내가 경험한 짜릿한 행복감을 누군가가 느끼도록 도울 수 있다면 참 잘 사는 인생이겠다.' 싶어서 출판지도사 자격 과정에 도전하게 되었다. 좀 더 체계적이고 전문적인 교육이 필요했다. 타인의 인생에 행복 더하기를 해주기 위한 진정성 있는 태도라고 생각했다.

탁월한 선택이었다.

출판지도사 자격 과정을 통해 출판에 대한 전문적인 지식을 배우고 다양한 정보를 알게 되었다. 책쓰기 코칭에 대한 실무적인 고급 스킬을 배울 수 있었고, 책쓰기 강사로서 갖춰야 할 역량을 키울 수 있었다. 강의 제안서, 강의 섭외, 수강생 관리, 저작권, 초상권, 출판 기념회 등 출강 시 준비하고 진행해야 할 것은 인문학 강사로서 활동할 때와는 다른 부분이 있었다.

그뿐만 아니라 공저 출판 과정 운영 시 모집, 운영, 홍보 노하우, 출판 계약서 쓰는 법, 무료 전자책 출판 플랫폼 정보, 유통사 계약 직거래 노하우, 종이책 발행과 유통에 대한 교육까지 받고 보니 '출판지도사 자격증은 장롱 안에서 색깔이 변해가는 보석은 분명 아니겠구나'라는 확신이 들었다. 힘을 내서 달리는 자격증이 되어주었다.

ISBN, 발행자 번호, 출판사 설립, 세무, 유통사 계약, 유통 실무, 외주 등 대행 출판사 설립 및 운영에 대한 내용까지 배웠던 출판 관련 전문가로서의 교육은 그 어떤 자격증 취득 과정보다도 재미있고 의미 있고 활용도 높은 공부였다. 출판지도사로서 갖춰야 할 역량은 자격 취득 이후 교육 현장에서 출판지도 활동을 하며 더 차곡차곡 쌓아져 갔다.

생각과 말과 행동과 글과 삶은 다르다. 그래서 나는 계속 책을 쓴다. 책을 쓸 수 있게 지도한다. 쓰며 성찰하고, 쓰며 행동하는 힘을 믿기에⋯

책은 에너지이다. 사람이 책을 만들고, 책이 사람을 만든다. 책을 쓰면 삶이 바뀔 수 있다. 작가 스스로 내면과 건강한 관계가 만들어지고, 작가와 독자의 관계가 만들어지고, 작가나 독자의 삶이 다르게 살아진다.

나는 이렇게 관계를 만들고 사람을 살리는 삶쟁이, 출판지도사가 되었다.

돈과 성공과 행복을 부르는
글쟁이, 책쟁이

"성공은 어느 한순간에 얻어지는 것이 아니다.
조금씩의 계획에 의해 완성되는 것이다."
- 프래 터널 모니터 -

'꽃꿈할매 인생 그림책 출판 기념회'

출판지도사로 활동하며 가장 힘들었지만, 또 가장 행복했던 순간이
떠오른다. 대부분 문맹인이신 복지관의 70~80대 어르신들 대상으로
책을 출판해 드리는 프로젝트를 약 8개월간 진행했다.

"난 글을 몰러." "아이구 이런 걸 왜 하라는 겨." "재미있게 노래나 혀 봐." 등 불만과 원성을 샀던 첫 시간의 기억은 이제 웃으며 꺼내 보는 추억이 되었지만, 초반 진행 당시에는 쉽지만은 않았던 출판 프로젝트였다.

그러나 '준비된 출판지도사로서의 의지와 노력은 그 누구도 따라올 수는 없다!'라고 생각한 나는 최선의 노력으로 어르신들의 마음을 열고, 생각을 열고, 이야기의 문을 열어 드렸다. 그리고 웃고 울며 삶을 노래하듯 풀어놓으시는 어르신들을 보며 감사와 감동으로 어르신들의 시간 속에 함께 있었다. 약 8개월간의 긴 여정, 드디어 책이 출판되었다. 어르신들 19분 모두 작가가 되셨다. '꽃꿈할매 작가'로 당당하게 살아가실 아름다운 세상을 열어 드리게 된 것이다.

"선상님한티 미안해유. 안 한다고 못한다고 속 썩여서. 참말 미안해유."
"진짜 책이 이렇게 나올 줄 몰랐네. 좀 더 열심히 할 걸 그랬네유."
"내 80평생 살면서 이런 행복은 첨이어유. 세상에 이 고마움을 어찌 다 갚을라나."

어르신들의 마음뿐만 아니라 지역사회에서도 인정과 보상을 받는 큰 성과가 있었다. 보람된 꽃꿈할매 출판지도의 성과는 이후 시외권 초등학교 전교생의 책 출판을 위한 교육으로 이어졌다. 또 30명 소상공인들의 퍼스널 브랜딩 공저 출판까지 진행하게 되었다.

출판지도사로서 경제적인 소유의 행복을 느끼는 것 이상으로, 보람된 가치의 행복을 느끼는 소중한 경험이었다.

현재 출판지도자로서의 나의 행보는 분주하다. 초·중·고·대학교, 공공기관, 지자체 등에서 교육과 강의로 책쓰기 및 출판지도를 하고 있다. 심리 상담 내담자 치유책 출판, 교육청 위탁 청소년 대안교육 시책 출판, 시 도서관 평생교육 학습자 대상 출판지도, 독서 전문강사 대상 공저 출판, 소상공인 대상 사업마케팅 출판, 액티브 시니어 공저 출판, 양성평등 시 지원사업 출판지도, 퍼스널 브랜딩 공저 출판, 개인 전자책 출판지도 등 출판지도 전문가로 활발한 활동을 하고 있다. 짧게는 5주 과정의 출판 프로그램부터 개인이나 공저 팀, 출판 의뢰기관의 여러 상황에 맞게 조율하여 프로젝트를 진행하고 있다.

자기 삶의 중요한 덕목을 두고 살아가고 있는 사람들처럼 나 또한 열심히 살아가고 있다. 책을 쓰며 책을 출판하며 성공으로 향하는 길을 달리고 있다. 모든 사람은 어떤 식으로든 자신의 삶 모든 영역에서 성공하기를 바란다. 하지만 100% 성공의 확신은 그 어느 누구도 장담할 수는 없다.

물론 성공의 기준이 모두에게 다 똑같지는 않기에 100% 성공 만족도는 있을 수 있다. 세상의 기본값으로 정해진 성공에 맞추거나 따르는 것이 아닌 '나에게 성공? 진정한 성공이란?'의 질문을 던졌을 때, 출판지도사로서의 성공은 100% 확신을 한다. 타인의 삶을 돕고 살리는 최선의 가치 행복과 경제적 자유에 만족하는 차선의 소유 행복을 다 느낄 수 있기에 주저함 없이 답을 할 수가 있는 것이다.

돈을 부르는 글쟁이, 책쟁이로 사는 나는 출판지도사다.
성공을 부르는 글쟁이, 책쟁이로 사는 나는 출판지도사다.
행복을 부르는 글쟁이, 책쟁이로 사는 나는 출판지도사다.

인생 신호등의 색깔을 바꾸는
출판지도사

"훌륭한 사람이라는 것은 보통 사람보다 어질고,
욕심과 정열에 좌우되지 않는 사람을 말하는 것은 아니다.
무엇보다 남보다 좋은 계획을 세우고
그것을 실천하는 사람이 훌륭한 사람이다."
- 라로슈푸코 -

인생의 신호등에 빨간불이 들어올 때가 있다. 건강이든, 사람이든, 돈이든… 번아웃이 올 때가 있다. 신호등에 빨간불이 들어오면 일단 멈춰야 한다. 번아웃이 왔다는 것은 인생 패턴을 바꾸라는 신호다. 일단 멈춤! 그리고 생각하기. 다시 방향 잡고 행동하기를 해야 한다. 방향을 바꾸기 위해 미리 준비(생각)가 필요하다.

인간의 행동 연구에 따르면 우리는 하루에 5만~7만 가지의 생각을 한다고 한다. 하지만 이렇게 많은 생각을 하면서 우리의 삶은 왜 크게 변하지 않는 걸까?

오늘의 생각 대부분이 어제의 생각과 크게 다르지 않기 때문이다. 그 많은 생각 중 대부분이 부정적이기 때문에 삶의 변화를 이끄는 데는 어려움이 있다고 한다. "인생은 생각하는 만큼 바뀐다."라는 말이 있듯이 우리 삶에 좋은 변화를 이끌어내기 위해서는 평소 생각하는 방식을 바꿔줄 필요가 있다. 생각하는 방식에 조그만 변화를 주면 행동의 변화가 따르고, 우리 삶의 긍정적인 변화는 분명히 생길 수 있다.

노력은 최소로, 성과는 최대로 낼 수 있는 인생 신호등 점검과 실행은 필요하다. 인생 신호등을 점검하는 방법의 하나로 '나도 책 출판 한 번 해볼까?'라는 질문을 추천한다. 자아실현적 책쓰기, 치유적 책쓰기, 비즈니스적 책쓰기를 통해 삶의 방향과 속도를 적절하게 조율해 나갈 수 있을 것이다.

인생 신호등 점검 시기는 이제 시작해도 괜찮은 출판 시기라고도 할 수 있다. 세상으로 나가는 설레는 출판과의 만남이 이뤄지기를 바란다. 그 자리에 역량 있는 출판지도사가 서 있다면 더할 나위 없다. 성공 출판의 파트너가 되어줄 테니……

필자는 독자에서 저자로 성장하는 즐거운 과정의 모든 것을 경험하도록 돕는 출판지도사가 되고자 한다. 책쓰기 컨설팅, 출판 컨설팅으로 산으로 가지 않는 인생 정리법을 알려 주고자 한다. 완전 생초보도 출판할 수 있도록 지도한다. 책은 쓰고 싶은데 주제를 정하는 게 어려운 사람들은 책을 쓰려는 이유와 주제만 준비하라.

아니, 책 출판이 목표였다면 이유와 주제도 함께 찾아 책으로 마케팅, 퍼스널 브랜딩도 할 수 있도록 코칭 한다. 두려운 책쓰기를 누구나 편안하게 책 쓰고 출판까지 할 수 있도록 지도하는 멘토, 예비 작가를 위한 출판 백서 노하우를 가진 멘토다.

내 이름으로 된 책을 꼭 한번 쓰고 싶다면, 책으로 나의 브랜딩을 확고히 하고 싶다면, 나의 경험과 노하우를 많은 사람들과 나누고 싶다면 이제 글을 모아 엮어야 한다. 책을 써야 한다.

'과연 내가 책을 쓸 수 있을까?'
'책은 특별한 사람만 쓸 수 있는 거 아닌가?'
'책 쓸 시간을 도저히 낼 수가 없다.'
'무엇을 써야 할까?' 고민은 이제 그만.

책이 삶을 바꿀 수 있다고 말한다. 책쓰기 좋은 날, 하루 30분 책쓰기가 만드는 기적을 만나기를 바란다.

무작정 시작하는 책쓰기 노하우를 알려주는 출판지도사,
돈이 되는 책쓰기 전략을 코칭 하는 출판지도사,
당신의 인생 신호등 색깔을 바꾸는 출판지도사가 여기 있다.

권경민

도서출판 한국지식문화원 대표, KCN뉴스 발행인
010. 3086. 5420 ceo@kcbooks.org

학력
University of Utah 미국 교육학 석사
Cesar Ritz스위스, ICHM호주

경력
국무총리실, 감사원, 행안부, 국토교통부, 문체부,
공정거래위원회, 삼성경제연구소, LG전자, 포스코,
롯데, 한화, 현대철강, 한국은행, 카이스트,
경희대 등 1천 회 이상 강의

방송출연
SBS뉴스토리, SBS뉴스, MBC다큐프라임, CNN,
YTN뉴스, KBS아침, 올리브TV, 글로벌CGTN,
jtbc뉴스 등 방송출연 60회 이상

저서
「맥주 소담」외 16권

인생의 나락,
그때 책이 있었다

"당신의 심장이 빨리 뛰는 만큼 더 빨리 행동하고,
그것에 대해 생각하는 대신 무엇인가 그냥 해야 합니다.
실패한 사람들의 인생은 기다리다 끝이 납니다."
- 알리바바 창업주 마윈 -

출판,
삶은 그렇게 달라진다

2014년 생애 첫 저서를 출판했다. 정신없이 번갯불에 콩 구워 먹듯이 내 이름으로 된 한 권의 책을 세상에 내놓았다. 사실 아무런 준비도, 계획도, 전략도 없이 출판 기회가 찾아왔다. 아니, 내가 만들어 냈고, 그 기회를 놓치지 않았다. 혹여 다른 사람에게 날아갈까 꽉 잡았다. 우리나라 출판계에서 손가락 안에 꼽히는 한국학술정보 이담북스 출판기획팀에서 내 블로그를 보고 역으로 기획출판 제안이 들어왔다. 아무런 준비가 되어있지 않았다. 하지만 첫 기획미팅에서 무조건 할 수 있다고 적극적인 모습으로 어필했다. 어떤 일이 벌어질지 상상도 못 했지만, 하늘에서 준 것 같은 기회를 놓치고 싶지 않았다.

출판사의 기획출판 제의를 받고 집필을 시작했다. 수도권 수십 곳의 수제맥주 전문펍을 방문했다. 사진을 찍고 글을 썼다. 무쏘처럼 달려간 한 달의 집필 기간, 두 달의 편집·디자인 과정을 거쳐 나의 첫 책이 세상에 나왔다. 바로 「맥주 소담」, 내 인생의 책이다. 내 인생을 송두리째 바꿔 놓은 운명의 책이다. 책이 출판되었을 때까지만 해도 내 인생을 바꿔 놓을 어떤 쓰나미가 기다리고 있는지 전혀 알지 못했다. 당연히 첫 데뷔 작품이라 아쉬움이 많았다. 아무래도 완성도가 떨어질 수밖에 없었다. 솔직히 어디서 작가라고 말하기도 부끄러웠다. 출판 직후 저자 할인가로 구매한 100여 권의 책을 누구에게도 주지 못하고 창고에 방치했다.

무식해서 용감했을까? 출판 후, 저자 강연을 하고 싶었다. 강연 무대에 서고 싶었다. 그렇다고 프로 강연가가 될 생각은 꿈에도 없었다. 하고 있던 사업이 워낙 잘 되고 있었기에 전업을 생각할 이유도 없었다. 그런데 무슨 바람이 불었는지 저자 강연을 하고 싶었다. 강의 무대에 서서 청중들과 호흡하고 싶었다.

무턱대고 강연회사에 강의제안서를 던졌다. '마이크 임팩트'라는 강연업계 선두 기업이었다. 제안 조건은 내 입장에서는 나름 파격적이었다. 강의 주제는 '맥주', 강사료 없음, 참여자 전원 「맥주 소담」 저자 사인본 증정, 독일 밤베르크·쾰른 맥주 시음… 강연회사에서 혹할 수 있는 조건이라 확신했다. 강연기획사 입장에서는 검증되지 않은 강사지만, 무료 강의에 저자 사인본 증정, 무료 시음까지 제공할 수 있다니…. 나쁘지 않은 제안이었을 것이다.

이렇게 내 인생 첫 강연 무대에 무려 120명의 청중이 함께했다. 그 당시만 해도 전무후무, 상상조차 못 했던 '맥주강의'에 대한 반응은 뜨거웠다. 강연회사도, 출판사도, 청중도 그리고 나도 놀랐다. 강의는 단순히 지식을 전달하는 것이 아니라, 타인의 삶을 바꾸고 마음을 움직이는 것이라는 걸 깨달았다.

이것이 작은 씨앗이 되어 수많은 기업체, 공공기관, 대학교, 지자체 등에서 강의를 진행하게 되었다. 사업을 하면서 사이드로 틈틈이 강의를 진행했다.

마냥 잘 나갈 줄 알았던 사업이 코로나19와 무리한 사업확장 등으로 위기를 맞게 되었다. 영혼을 바쳐 쌓아 올린 모든 것이 사라지는데 그렇게 오랜 시간이 걸리지 않았다. 내 인생 모든 것이 한순간에 신기루처럼 사라졌다. 허무하고 황망했다.

투자금 몇억과 사업을 확장하면서 받은 은행 대출까지…. 눈앞이 막막했다. 전혀 길이 보이지 않았다. 사업이 망했어도, 그동안 진행했던 것처럼 강의만 들어왔다면 당장 생계는 유지할 수 있었을 것이다. 그런데 코로나 여파로 2020년 스케줄 잡혀 있던 모든 강의가 취소되었다. 추가로 어떤 강의 섭외도 들어오지 않았다.

백방으로 처절하게 몸부림쳤다. 실패한 중년 사업가가 할 수 있는 일은 그리 많지 않았다. 감사하게도 쿠팡 물류센터에서는 묻지도, 따지지도 않고 일자리를 제공했다. 물론 쉽지 않았다. 평생 힘쓰는 일을 해본 적이 없는 내겐 만만치 않은 도전이었다. 은행 대출을 갚으며 생계를 꾸려야 했기에 너무나 절박했다. 너무나 절실하게 돈이 필요했다. 약간의 편법을 동원하여 7개월 동안 하루도 쉬지 않고, 하루에

2타임 16시간씩 일했다. 말 그대로 죽어버릴 것 같았다. 죽도록 고통스럽고 힘들었다. 그렇게 뼈와 영혼을 갈아 넣어 일단 급한 불을 끌 수 있었다.

하지만 언제까지 그렇게 살 수는 없었다. 물류센터를 박차고 나와 전업 강연가로 인생 2라운드를 도전하기로 했다. 몇 권의 책을 더 집필했다. 강의제안서를 정비하여 교육 섭외 담당자, 에이전트를 찾아갔다. 온라인 줌 강의를 기획하여 직접 모객하고 강의를 진행했다. 책을 쓰고 그 분야에 저자 특강을 진행할 수 있다는 것을 너무나 잘 알고 있었다. 기획하는 강의 분야의 책을 계속 집필했다. 급기야는 독립출판사를 설립했다.

나뿐만 아니라 나처럼 인생 2라운드를 도전하는 이들에게 새로운 방향을 알려주고, 날개를 달아줄 수 있다고 생각했다. 모든 계획은 적중했다. 고3 수험생 때보다 더 잠을 줄였다. 한 달에도 몇 번은 꼬박 밤을 새우는 일이 이어졌다. 한 달에 무려 2만 킬로미터를 운전한 경우도 있었다. 식사도 잘 못 챙기며 치열하게 싸웠다. 2년 만에 사업으로 인한 대출 4억 7천을 모두 갚았다. 그 말할 수 없이 치열했던 삶이 이렇게 간단히 묘사되다니…. 허무했다. 하염없이 눈물이 흘렀다. 나는 다시 태어났다. 새로운 삶을 시작했다.

이 모든 것이 가능했던 것은 '내 인생의 책' 「맥주 소담」이 있었기 때문이다. 그 한 권의 책으로 시작한 강연이 지금 이 엄청난 변화의 씨앗이 되었다. 아섭고, 부족한 책 한 권의 출판 덕분에 나의 삶은 그렇게 달라졌다.

출판지도사,
당신의 가슴이 뜨거워지는 일이 길이다

2024.1.26. 기준 우리나라에 등록된 출판사는 106,684개다. 통계에 따르면 10만 개가 넘는 우리나라 출판사 중 87%가 단 한 권의 책도 출판하지 못하고 개점휴업, 휴업, 폐업의 길을 간다고 한다. 2021년 5월 설립한 도서출판 한국지식문화원은 대한민국 출판사 중에 꼴등, 10만 등으로 시작하여 출판사 등록 2년 만에 무려 130권의 책을 출판했다. 가히 출판업계의 살아있는 전설이라 할 수 있다. 기존의 기라성 같은 출판사들도 출판업계 시장 축소로 사업이 힘든 현실이다. 아무것도 모르고 꿈과 희망, 용기, 의지만 갖고 도전한 출판은 기적을 만들었다.

내가 만든 기적은 불황에 130권이 넘는 책을 출판하고 수익화에 성공한 것이 아니다. 공저자를 포함하여 1천 명이 넘는 작가를 배출하며 그들의 삶을 변화시켰다. 책쓰기 강의를 진행하며 출판을 통해 변해가는 작가들의 모습을 직접 지켜봤다. 그들의 성장하는 모습을 바로 앞에서 함께했다. 가슴이 뜨거워졌다. 변화하는 자신의 모습에 행복해하는 작가들을 보며 평생 느껴보지 못한 행복과 성취감, 희열을 느꼈다. 더 이상 단순히 출판을 의뢰받아 책을 출판하는 것으로 만족할 수 없었다. 보다 체계적으로 그들의 삶을 바꿀 수 있도록 노력하기로 마음먹었다.

차별화, 남들이 잘 하려 하지 않는 것을 도전하는 것이 내 주특기다. 책 출판을 통한 퍼스널 브랜딩에 초점을 맞췄다. 새로운 인생 2라운드를 도전하는 이들에게 날개를 달아줄 방법을 고민했다. 왜 책을 써야 하는지 목소리 높여 외쳤다. 그들이 책을 통해 변할 수 있도록 동기부여 했다. 책을 집필하는 모든 과정을 체계적으로 지도해야겠다고 마음먹었다. 16권의 단독 저서를 집필한 집필 노하우를 녹여냈다. 출판 과정 전반에 대한 이해를 설명했다. 1천 회가 넘는 강연 경험을 통해 얻은 전략을 모두 담았다. 강의 주제 설정, 강연제안서 작성, 강연가 입문방법, 강연료 협상 등 어디서도, 누구도 알려주지 않는 내 삶의 노하우를 적나라하게 공개했다.

이 모든 과정을 체계적으로 교육하기 위해 '출판지도사' 자격증을 발행하게 되었다. 등록기관 한국직업능력연구원, 주무부처 문화체육관광부, 발행기관 한국지식문화원으로 등록번호 제2023-002854호 출판지도사 자격증을 등록했다. 자격증 교육과정에 내 인생을 바꿔 놓은 출판, 집필, 출판사 운영, 강연, 마케팅, 수익화 등의 모든 노하우를 가감 없이 나눔한다.

원론적인 이야기는 없다. 현장에서 부딪치며 쌓은 삶의 노하우를 전수한다. 나와 함께 가는 이들의 인생이 변화되기를 바라는 마음으로 나의 지식과 경험을 공유한다. 그래서 그들이 나와 같은 길을 가기 희망한다. 자신뿐만 아니라 또 다른 이들의 가슴을 뜨겁게 만들고 그들의 인생을 변화시키는 일을 하기 바란다.

출판지도사 자격증을 취득한 동료 출판지도사들의 활동 소식이 들려온다. 진심으로 감사한 이야기들이 여기저기서 들려온다. 대학교 평생학습관, 지자체 평생학습관, 도서관, 문화센터, 기업, 학교에서 책쓰기·글쓰기 강의를 시작하는 동료 출판지도사들의 가슴 벅찬 소식이 전해진다.

자체적으로 공동저서 코칭을 진행하고, 단독 저서 코칭을 진행하는 이도 있다. 벌써 출판지도사 자격과정을 진행하여 후배 출판지도사를 양성하는 이도 있다. 독립출판사를 등록하여 출판업을 시작하는 이도, 자신의 저서를 출판하는 이도 있다. 아직은 작지만 느린 걸음으로 꾸준한 도전을 하는 이도 있다. 크기의 차이, 속도의 차이는 있지만, 이미 그들 삶의 변화는 시작되었다.

이제 그 보람된 일을 통해 경제적 여유도 누리기를 바란다. 우리가 행하는 올바른 길에 정당한 경제적 보상 뒤따라야 그 원동력을 잃지 않는다. 선한 영향력도 좋고, 봉사도 좋다. 하지만 경제적 보상이 없으면 오래, 꾸준히 가기 쉽지 않다. 적어도 나는 그렇다. 나는 가족을 부양하는 가장으로 우리 가정의 안위와 안녕이 최우선이다.

나와 함께하는 출판지도사들도 같은 길을 가면 좋겠다. 그리고 더 많은 이들의 삶을 변화시키면 좋겠다.

어떤 도전을 하든, 어떤 일을 하든 당신의 삶은 여전히 아름답다. 실패로 만신창이가 되고 나락으로 떨어져도 삶은 아름답다. 포기하지 않고 도전하는 한 우리의 인생은 어디서도 빛난다.

그럼에도….

나는 이 글을 읽는 독자가 자신의 가슴이 뜨거워지는 일을 하면 좋겠다. 출판지도사가 되어 자신의 삶을 바꾸고, 타인의 삶을 바꿀 수 있는 길에 동행하면 좋겠다. 당신의 가슴이 뜨거워지는 일이 길이다!

한국지식문화원,
당신이 살아온 삶의 가치가 책과 강연이 되는 곳

우리의 삶은 책을 통해 두 가지 다른 방향으로 변화한다. 독서를 통해 자신의 인생은 진화한다. 집필을 통해 나와 타인의 인생을 진화시킨다.

사업 실패로 인한 내 인생의 나락, 그때 책이 있었다. 성공한 사람들이 실패와 좌절을 이겨낸 감동의 이야기를 책으로 읽으며 마음을 다시 잡았다. 가슴이 뜨거울 때 작은 시도라도 바로 실행에 옮겼다. 다시 책을 쓰며 새로운 도전의 사다리를 만들었다. 그리고 이제 타인의 가슴을 뜨겁게 달궈, 그들이 책을 쓸 수 있게 도와준다. 다른 작가들의 책을 통해 작게나마 또다시 세상을 변화시키고 있다.

부끄러워서 무려 10년 동안 창고에 방치했던 100권의 「맥주 소담」이 다시 세상으로 나왔다. 오래 숙성된 와인이 산소와 만나 디캔팅을 하듯, 부끄러웠던 데뷔작이 작가들을 배출하는 강의 현장에서 동기부여의 산증거로 또 다른 역할을 해내고 있다. 스스로 부끄러웠지만, 데뷔작 「맥주 소담」은 유통사 통합 여행 카테고리 8년 베스트셀러 엠블럼을 유지했다.

인생의 전환점에서 새로운 도전을 꿈꾸는가? 실패와 좌절에서 재기를 꿈꾸는가? 삶은 실패할 때 끝나는 것이 아니라, 포기할 때 끝난다고 했다. 삶은 어떻게든 살아지고, 살아져 나간다. 어떤 삶을 살 것인가는 본인의 선택이다.

유명한 저자이며 강연가인 지그 지글러는 "행동하는 2%가 행동하지 않는 98%를 지배한다."고 했다. 한 번 태어난 인생, 우리는 행동하는 2%가 될 것인가, 행동하지 않는 98%가 될 것인가?

"뭐라도 바꾸려면, 뭐라도 해야 한다." 강의 때마다 목청 높여 외치는 문구다. 아무것도 하지 않으면서 변화를 기대하는가? 어제와 똑같은 삶을 살면서 더 나은 내일을 꿈꾸는 정신병 초기 증세를 보이지는 않는가?

이제 더 이상 혼자가 아니다. 지난해 6월 출판지도사 등록을 마치고 불과 6개월 만에 수십 명의 출판지도사를 배출했다. 그들은 든든한 아군이며 동반자다. 우리가 달려가는 일의 특성상 우리 모두는 경쟁자가 아닌 상생을 위한 동반자다. 이렇게 뜻을 모아 함께 글을 집필하고 있다. 혼자 외치는 메시지보다, 함께 외치는 메시지가 더 큰 메아리로 돌아올 것을 믿고 함께 외친다.

당신이 살아온 발자취가 스토리다. 스토리가 글이 된다. 글이 모여 책이 된다. 그 책은 다시 누군가의 가슴을 더 뜨겁게 달구는 강의가 된다.

당신이 살아온 삶의 가치가 세상을 바꾸는 책과 강연이 되는 곳! 한국지식문화원과 함께 세상을 바꾸는 작지만 위대한 움직임에 동참 하세요!

김 모 정

한국지식문화원 대표 출판지도사
작가, 임상심리사, 프리랜서강사
010. 2574. 5219 we012fam@naver.com

학력
방송언론학 학사
광고홍보학 학사
상담심리학 학사

강의 경력
중고등학교 자기주도학습 및 진로진학 강의

저서
「생각대로 살게 하는 출판지도사」
「가깝고도 먼 관계, 엄마와 딸의 마음치유 글쓰기」
「누가 진로를 가져갔을까? -꿈의 성장통-」

책 속으로
같이 떠나보실래요?

"땅에서 넘어진 자, 땅을 짚고 일어나라."
- 지눌 국사 -

트라우마와 꿈 사이

어릴 적에는 지금과 같이 미디어가 발달했던 시기가 아니다. 그랬기에 할 일이 없으면 책을 보기 일쑤였다. 그 덕분인지 백일장이나 방학 때 과제로 낸 글짓기로 상을 제법 받았다. 상을 받아오면 부모님께 칭찬도 받으니 글 쓰는 것이 재미있었다.

중학교 시절 혹독한 사춘기를 겪으며 원하는 고등학교 진학이 어렵게 된다. 그렇게 고등학교 진학을 고민하다가 글쓰기를 좋아했었던 어린 시절이 떠오른다. 기회라 생각했고, 예술고등학교 문예창작과에 입학한다. 처음 입학할 당시에는 글을 좋아하던 문학소녀였다. 좋아하는 시를 필사하기도 하고, 편지 쓰는 것도 좋아해 친구들과 주고받기도 했다. 가족, 친구, 누구든 내 글에 감동하고 좋아하는 모습이 내게 큰 즐거움이었다.

하지만 시간이 지날수록 글을 쓰는 것이 싫었다. 문예창작과다 보니 글을 평가받는 것이 일상이었다. 간혹 글이 난도질 되는 경험도 했다. 내가 썼지만 내 글이 아닌 글을 전시회에 올리기도 했다. 그런 경험들이 쌓이고 쌓여 트라우마를 겪게 된다. '글을 쓰는 일은 하면 안 되겠구나!'라는 결심과 함께 흥미를 잃어갔다.

고등학교 전공이 문예창작과다 보니 대학도 방송언론학과를 졸업했다. 처음에는 관련 일을 하고자 했지만, 이미 글과 관련된 일은 하고 싶지 않다는 마음이 온몸을 지배하고 있었다. 그렇게 나는 글을 쓰는 일이 아닌 방송 장비를 다루는 직업을 가졌다.

시간이 얼마나 흘렀을까?

결혼 후 직장을 그만두고 임신과 출산, 육아를 하면서 경력 단절 여성이 되었다. 일을 하고 싶었으나, 받아주는 곳이 없었다. 이렇게 있으면 안 되겠다 싶어 평생학습 기관들을 다니면서 수많은 자격증을 취득했다. 취득만 하면 일을 할 수 있다고 생각했다. 하지만 그렇지 않았다.

관련 자격증들을 바탕 삼아 공부방을 차렸다. 그러나 그것도 오랜 기간 유지할 수 없었다. 이유를 알 수 없는 40도 가까운 고열이 한 달 사이 여러 차례 일어났다. 이렇게 있다가는 내가 언제 가도 이상하지 않았다. 그래서 건강검진을 받았다.

건강검진 결과 전혀 예상도 못 한 갑상샘암 진단을 받았다. 갑상샘

암은 거북이 암이라고도 부른다. 다른 암들에 비해 천천히 자라기에 요즘은 수술보다 추적관찰을 하는 경우가 많다. 그런데 나는 이미 지난 건강검진보다 커져 있는 상황이었다. 그 당시 때는 단순 물혹인 줄 알아 병원에서도 대수롭지 않게 생각했던 모양이다. 크기는 커졌고, 모양은 나쁘다 하니 큰 병원으로 옮겨 검사를 다시 받았다. 결과가 바뀌기를 바랐다. 어린 아들을 두고 수술대에 오른다는 것이 두려웠기 때문이다. 하지만 이변은 없었다. 수술을 권유한다. 그나마 희망이라면 전이가 없어 갑상샘 한쪽은 살릴 수 있다는 것이었다.

수술을 받고 다행스럽게 수술 결과도 좋고, 회복 속도도 빠른 편이었다. 하지만 무슨 일을 하기에는 금방 체력이 떨어졌다. 하루에 8시간 이상 자지 않으면 생활을 할 수 없었다. 많은 일을 하지 않았음에도 초저녁만 되면 에너지가 방전되었다. 쓰러져 자기가 일수였고, 아침에는 일어날 수가 없었다.

그런 생활이 계속 이어지다 보니 우울해졌다. 무언가 생산적인 일을 하고 싶었다. 대학을 편입했다. 나를 알아가는 재미가 있었다. 조금씩 성장해 가는 느낌이었다. 그런 기운이 내 몸을 감싸고 기회를 만들어 준 것인지 예전에 평생학습 기관에서 같이 공부했던 선생님께서 함께 일해보지 않겠냐고 연락을 주셨다.

처음에는 망설였다. 보조강사로는 예전에 여러 번 나가보았지만, 메인 강사로 내가 직접 강단에 서 본 적은 없었다. 평가에 대한 트라우마가 있었기에 겁이 났다. 하지만 이 기회를 놓치면 더 이상 기회는 오지 않을 것 같았다.

그 뒤로 수많은 중고등학교에서 아이들과 만났다. 자신감도 생겼다. 하지만 어느 순간 이 자리에 국한되어 있는 것이 싫었다. 돌파구가 필요했다. 나를 알릴 무언가가 절실하게 필요했다. 그러던 어느 날 평상시의 나였다면 절대 신청하지 않았을 온라인 강의를 신청했다. 그것이 권경민 작가님과의 첫 만남이다.

권경민 작가님과의 만남은 나에게 신선한 충격이었다. 강사로서 브랜딩을 어떻게 해야 하는지 하나부터 열까지 알려주셨다. 나는 정말 우물 안 속 개구리였구나 싶었다.

출판지도사도 마찬가지다. 사실 작가님께서 출판지도사 1기 과정을 진행한다고 하셨을 때 나는 귓등으로 듣지도 않았다. 자기 자신을 브랜딩하려면 어떠한 스펙보다 책 한 권 내는 것이 낫다고 하셨을 때도 나와는 무관한 일이라고 생각했다. 글을 쓰고, 책을 낸다는 것은 내 인생에서 절대 없는 일이라고 생각했다.

그런 내가 출판지도사 과정을 듣겠다고 마감 직전에 신청서를 작성했다. 처음에는 친정엄마 덕분이었다. 친정엄마는 몇 년 전 시인 등단을 하셨다. 그리고 시인으로 활발하게 활동해 보려던 차 유방암 진단을 받고, 항암과 수술을 거쳐 투병 중이다. 당신이 세상을 떠나기 전 시집을 내고 싶다고 늘 말씀하셨다. 문득 그 얘기가 떠올라 관심도 가지지 않던 출판지도사 과정을 신청하게 되었다. 한때는 내 꿈이기도 했지만, 트라우마였던 글쓰기를 그렇게 시작하게 되었다.

알에서 나와 날갯짓하다

출판지도사 과정을 들으면서 또 한 번 놀라게 된다. 나를 제외하고는 공저는 기본이고 단독저서를 낸 분들이 다수였다. 주눅이 들었다. 내가 낄 자리가 아닌 것만 같았다. 혼자 땅굴을 파기 시작한다. 그럴 때마다 작가님들께서 충분히 잘하고 있다며 동굴 속으로 들어가려고 하는 나를 끄집어내 주셨다.

시작의 처음은 친정엄마였을지 모르나, 포기하지 않고 할 수 있었던 이유는 어릴 적 문학소녀를 꿈꿨던 내 무의식과 여러 작가님의 격려와 응원 때문이었다.

고려 시대 승려였던 지눌 국사는 이렇게 말씀하셨다.

"땅에서 넘어진 자, 땅을 짚고 일어나라."

넘어졌으면 땅을 짚고 일어나야 하는 것이 이치이다. 트라우마가 있다면 어떻게 해야 할까? 트라우마를 마주 봐야 한다. 하지만 나는 마주하기보다 회피하기에 바빴다. 아니면 누군가 일으켜주길 바라며, 기다리고 있었다. 출판지도사 과정은 내가 트라우마와 직접 마주하게 해주었다. 그렇게 트라우마는 상처만 주는 것이 아닌 도전과 기회의 자원이 되었다.

내가 생각해도 나는 참 부정적인 사람이었다. 자기 자신을 스스로 사랑할 줄 모르는 사람이었다. 상담심리학과에 편입해 공부하면서 그래도 많이 나아졌다고 생각했는데, 여전히 세상에서 내가 나를 제일 혐오하고 있었다.

한번은 강의 중에 내가 이런 말을 했다.

"저는 마흔이 넘었지만, 이제껏 이뤄놓은 것이 없어요."

권 작가님께서 아이가 있는지 여쭤보셨다. 아들이 한 명 있다고 말씀드리니 작가님께서 말씀하셨다.

"왜 이룬 것이 없으세요? 그것만큼 대단한 일이 어디 있습니까?"

진짜 머리를 한 대 맞은 기분이었다. 항상 남들에게는 임신, 출산, 육아만큼 대단한 일이 세상천지 어디 있느냐고 말했었다. 그러나 정작 나에게는 그러지 못했다. 남들도 다 하는 일을 나도 한 것뿐이라고 생각했다.

그렇게 작가님의 그 한마디로 조금씩 변하기 시작했다. 부정적인 생각이 들려고 하면 반대로 긍정적으로 생각해 보려고 노력했다. 느리지만 꾸준히 작가님들이 가시는 길을 따라갔다. 그러다 보니 강사 일을 하면서도 생각도 안 하고 있었던 강사 프로필도 찍고, 출판지도사 공저 과정에도 참여했다.

공저 참여하고 처음에는 얼마나 헤맸는지 모른다. 책하고 담쌓고 산 지 오래였으니 그럴 수밖에 없다. 글은 투박하고 어색하기에 그지없었고, 글의 가닥을 잡지 못해 주저리주저리 써놓았던 초고는 쓰레기통으로 들어갔다. 예전의 나였다면 '글은 아무나 쓰는 것이 아니구나.'라며 포기했었으리라. 하지만 이번에는 '공저가 끝나면 독서법과 글 쓰는 법을 공부해야지.'라고 다짐했다. 놀라운 변화가 아닐 수 없다. 그렇게 나 포함 11명의 〈생각하는 대로 살게 하는 출판지도사〉 공저가 세상에 나오게 됐다.

작지만 출판기념회도 하고, 공저를 시작으로 전자책을 두 권 더 냈다. 그리고 네이버 인물 등록까지 했다. 이것이 출판지도사 과정을 시작하고 딱 5개월 만에 이뤄낸 결과다. 다른 사람들 눈에는 별것 아닌 것처럼 보일 수 있다. 하지만 무슨 일이든 시작하기 전에 생각하고 생각하다가 결국 못 하는 경우가 많았던 나에게는 아주 큰 결과물이었다. 느리지만 속도의 차이일 뿐 꾸준히만 한다면 뭐든 해낼 수 있다는 자신감이 생겼다.

이런 내게 지인들이 하나둘 연락이 온다. 출판지도사는 무엇을 하는 것이며, 책을 내는 것은 어떻게 하면 되는지, 함께 해 줄 수 있는지

도움을 요청해 왔다. 연락이 올 거라 기대를 안 했던 터라 기관에 강의 제안서를 내기 위해 준비하고 있었다. 그런데 그러기도 전에 좋은 기회가 찾아온 것이다.

글을 쓰고 싶어 하고, 그걸 책으로 내고 싶어 하는 사람들이 주변에 참 많다는 것을 알았다. 아마 출판지도사가 되지 않았다면 알지 못했을 것이다. 그리고 어떤 과정들을 통해 책이 출판되는지는 더더욱 몰랐을 것이다.

출판지도사는 책을 내고 싶지만 어떻게 해야 할지 모르는 사람들에게 구세주와 같은 존재이다. 책을 왜 쓰고 싶어 하는지부터 타깃층은 어떻게 설정하고, 그 타깃층이 읽고 싶어 하는 주제는 무엇인지까지 책을 쓰기 전 정확한 목적을 가지고 쓸 수 있도록 돕는다. 그렇게 목적 및 타깃, 주제 설정이 끝나면 제목과 목차를 짓게 된다. 여기까지 끝났다면 반은 끝난 것이다. 이제 독자들이 원하는 스토리로 글을 쓰면 된다.

책을 내고자 하는 마음은 누구나 가져볼 수 있지만, 막상 글을 써보면 쉽지 않음을 느끼게 된다. 그러다 보면 포기하게 되는 경우도 생긴다. 초고는 쓰레기라고 했다. 처음부터 글을 잘 쓰는 사람은 없다. 나도 마찬가지다. 여전히 내 글은 투박하고 어색하기에 짝이 없다. 주제는 정했지만, 어떤 글을 써야 할지 막막하다면 주제와 맞는 책을 5권 이상 읽어보길 권한다. 그리고 필요한 문장은 필사도 해보고, 그것을 나만의 어휘로 만들어 보는 연습을 해보면 좋다. 그렇게 글을 쓰고 나면 최소 10회 이상의 퇴고를 거쳐 탈고한다.

상황에 따라 기획출판이 될 수도 있고, 자비출판이 될 수도 있다. 작가의 결에 맞는 출판사를 찾고, 원고를 투고하고, 마케팅은 어떻게 할 것이냐는 출판지도사와 상의해 작가의 여건에 맞게 출판을 진행하면 된다.

출판지도사 과정을 듣는 와중에는 모든 것이 다 뜬구름 잡는 이야기처럼 들렸다. '내가 과연 작가들에게 도움이 될까?'라는 생각도 들었다. 하지만 주변에 도움을 요청하는 사람들을 지도하면서 점차 노하우가 생겼다. 처음부터 완벽할 수 없다. 미흡할 수 있다. 시간이 흐를수록 부족한 부분은 점검하면서 채워나가면 된다.

왜 사람들은 글을 쓰고 싶어 하는 것일까? 그리고 거기서 멈추지 않고 책까지 내고 싶어 하는 것일까?

지난 5개월간 글을 쓰고 책을 내본 경험이 없었다면 이해하지 못했으리라. 처음에는 아무 생각 없이 글을 쓰다가 마음의 안정과 치유가 되는 것을 느꼈다. 그리고 인풋으로만 가득 찼던 내 머릿속은 글을 씀으로써 아웃풋이 되어 정리가 되었다. 그 과정들은 이름 모를 강사에서 네이버에서 이름만 검색하면 나오는 작가로 거듭나게 된다. 책의 대단함을 또 한 번 느낀다.

사실 공저 책 한 권으로 끝날 거로 생각했다. 하지만 거기서 그치고 싶지 않았다. 더 나은 글을 쓰고 싶고, 단독저서를 내고 싶다는 열망이 생겼다. 그리고 많은 사람과 공유하고 싶다는 생각이 들었다. 내가 가지고 있는 지식과 경험이 다른 사람에게 도움이 되고 싶었다.

이러한 점이 글을 쓰고 책을 내고 싶다는 마음을 생기게 하는 것이 아닐까?

5개월간 우여곡절도 많았다. 포기하고 싶었던 순간도 있었다. ISBN 발급 신청이 거절되기도 하고, 유페이퍼는 신청하지도 않은 것이 신청되어 있기도 했다. 다른 사람들은 순조롭게 되는 일들이 한 번에 되지 않고 여러 번 거쳐야 하는 상황들이 사실 힘이 들었다.

앞에서도 말했지만, 나는 생각도 많고, 생각만 하다 시작을 못 하는 경우가 많았던 사람이다. 그런데 이런 상황들이 반복되니 또다시 부정적인 사고에 사로잡힐 뻔한 적이 한두 번이 아니다. 그럴 때마다 작가님들께서 새로운 것을 알게 된 좋은 계기라며 긍정의 힘을 불어넣어주셨다. 그렇게 절대로 나오지 못할 것 같았던 알에서 나올 수 있었다. 알을 깨고 나오니 좀 더 일찍 깨고 나오지 못함을 후회했다. 알에서 나오니 날갯짓하기는 너무 쉬웠다.

그 날갯짓이 예전의 나처럼 시작도 하지 못하고 있는 많은 이들에게 도움이 되었으면 한다. 누구보다 그 마음을 잘 알기에 이해할 수 있다. 느려도 상관없다. 아예 시작하지 않은 것보다 낫지 않은가? 혼자가 힘들다면 함께 하면 된다. 그리고 조금씩 차근차근히 해나가면 된다. 그러다 보면 어느새인가 당신은 변화해 있을 것이다.

책이라는 날개를 달고

　책이라는 매체는 참으로 매력적인 존재이다. 세상과 소통하고, 새로운 지식과 경험을 얻을 수 있다. 또한, 자신을 브랜딩하고 홍보하는 데 있어 유용하다. 강사 일을 하면서 나를 알릴 무언가가 없을까 고민했었다. 그런데 책을 출간하게 되면서 그 고민은 자연스레 사라졌다. 그렇게 나는 책이라는 날개를 달았다.

　책을 통한 브랜딩은 다양한 장점이 있다. 책을 통해 자신의 지식과 전문성을 대중에게 증명할 기회를 제공한다. 자신의 개인적인 이야기와 경험을 통해 독자에게 공감을 불러일으키고, 영감을 줄 수도 있다. 그뿐이겠는가. 자신의 브랜드 이미지를 강화하는 데도 도움이 된다. 자신의 가치, 철학, 비전을 표현함으로써 기억에 남게 할 수 있다. 그렇게 자기 영향력과 인지도를 높일 수 있다.

하지만 책을 출판하는 것은 절대 쉬운 일이 아니다. 그러므로 우리 출판지도사가 필요한 것이다. 책이라는 날개를 달 수 있도록 돕겠다.

혹시 이렇게 반문하는 분이 계실 것이다. 나를 브랜딩하기 위해서만 책을 써야 하나?

절대 아니다. 글을 쓰고 책을 내고자 하는 이유는 다양하게 있을 것이다.

자신의 이야기를 세상과 공유하고 싶은 사람도 있을 것이며, 상처받은 마음을 치유하기 위해 글을 쓰는 사람도 있을 것이다. 자신의 지식을 전파하고 싶은 사람도 있을 것이다. 자신이 마음속에 품고 있는 모든 것이 글이 되고 그것이 책이 될 수 있다.

책을 내는 것은 나이 제한도 성별도 상관없다. 남녀노소 누구든 할 수 있는 일이다. 그렇기에 많은 사람이 글을 쓰고 책을 내길 바란다. 그리고 가능하다면 출판지도사도 도전해봤으면 한다.

나는 올해부터 출판지도사로서 다양한 활동을 이어나갈 예정이다. 온라인, 평생학습 기관, 기업체 등 다양한 곳에서 공저 프로젝트, 전자책 과정, 출판지도사 양성 과정을 진행한다. 거기서 다양한 작가들과 협력해 특별하고 가치 있는 작품을 세상에 선보이고 싶다. 그리고 책의 힘이 얼마나 대단한지 알리고 많은 이들이 책이라는 날개를 달고 비상하길 바란다.

조금이라도 변화하고 싶다면 시작해 보자. 목표도 없이 물 흐르는 대로 살던 나도 시작하고 나니 느리더라도 변화가 일어났다. 가만히 있으면 절대로 변하지 않는다. 꼭 변하는 삶을 살아야 하냐고 물어본 다면 할 말은 없다. 나도 한때 변화를 두려워했던 사람이기 때문이다. 하지만 그것은 장담할 수 있다. 한번 변화를 받아들이고 나면 계속 변화하고 싶은 욕구가 생긴다고 말이다.

그 시작을 거창한 것부터 할 필요는 없다. 단순한 *끄적임*부터 시작해도 좋다. 한 줄이 두 줄이 되고, 두 줄이 세 줄, 넉 줄이 되고, 어느덧 책 한 권이 될 수 있다. 그러다 보면 조금씩 변하는 나를 발견하게 될 것이다. 그리고 그 변화를 토대로 더 나은 내가 되기 위해 노력하게 된다. 혼자서는 힘들 수 있다. 함께 하는 이가 있다면 수월할 것이다.

사람마다 성공하는 시기가 다 다르다. 어떤 사람은 20대에 일찍 성공하기도 하고, 어떤 사람은 60대에 성공하기도 한다. 자기만의 속도가 있기 때문이다. 속도가 빠르면 빠른 대로, 느리면 느린 대로 각자 얻는 경험이 다를 것이다. 여기서 중요한 것은 포기하지 않는 것이다. 빨리빨리 문화가 미덕이 되어버린 대한민국에서 느리다는 것은 어려운 일일 수 있다. 하지만 그것이 두려워 시작조차 하지 않는 것은 어리석은 일이라는 것을 나는 이번 경험을 통해 깨달았다. 그러니 늦었다고 생각하지 말고 시작해 보길 바란다.

내가 작은 변화로 다른 사람들에게 선한 영향을 주고 싶어 노력하듯이, 여러분들도 조그마한 시작을 계기로 변화하길 바라며, 그 변화가 다른 사람들에게 선한 영향력으로 전달되면 좋겠다.

날개를 달고 비상하길 바라는 이들이여!
두려워하지 말고 함께 하자!
그 길에 우리 출판지도사들이 돕겠다.

김 미 희

브레인 자가치유센터 대표

010. 3734. 7143 hhone0301@naver.com

경력

전)초등학교 교장

한국지식문화원 대표강사

출판지도사,책쓰기,전자책 강사

국가공인브레인트레이너

건강 인문학 강사

부모교육 강사

동기부여/자기계발 강사

아로마테라피스트,조향전문가

그림책심리지도사

저서

「초등엄마수업」 외 6권

내 안의 숨어있는 거인을
깨우는 출판지도사

"거인의 어깨 위에 올라서라!"
- 마이클 J. 겔브 -

출판지도사 자격증이 있다고?

어느 날 친정엄마가 매일 18개의 약과 함께 살고 있는 것을 뒤늦게 알게 되었다. 전화로 안부를 물으면 별일 없다고 했다. 그러나 가끔 만난 엄마의 온몸에는 마약 파스가 붙어 있었다. 온몸에 통증이 있고, 쥐가 나서 붙였다고 했다. 그 모습을 보고 너무 안타까웠다. 그러나 엄마에게 할 수 있는 말은 "엄마, 병원 다녀왔어요?", "엄마 약 드셨어요?" 이게 다였다. 엄마는 내가 하루에 이 18개의 약만 먹어도 배부르다고 했다.

아무리 약을 먹어도 낫지 않는 엄마를 보며 속상했다. 혼자 살고 있는 엄마를 이러저러한 이유로 잘 돌봐드리지 못한 것 같아 미안했다. 안 되겠다 싶어 함께 병원에 가면 가는 곳마다 CT와 MRI를 또 찍었다. 그러나 커다란 이상 증상은 없다고 했다. 검사로 인해 엄마의 몸은 더 힘들어졌다. 할 수 없이 엄마를 낫게 할 방법을 여기저기 찾아 나섰다.

그러던 중 한 대체의학을 만났다. 뇌의 오작동 원리를 기본으로 한 자가 치유법이다. 전문가 과정 교육을 받고 엄마에게 해드려 약을 모두 끊을 수 있었다. 이 방법으로 나의 몸도 좋아졌다. 그전에는 퇴근할 때만 되면 온몸이 땅속으로 꺼져갔다. 퇴근 후면 말하기조차 힘들었다. 그렇게 몸이 힘드니 건강염려증까지 생겼다. '내가 이대로 죽으면 남은 아이들은 어떻게 할까?' 하며 보험만 많이 들었다.

그런데 열심히 배운 대로 내 몸에도 적용하니 내 몸이 좋아졌다. 몸이 좋아지니 앞으로 나는 어떻게 살 것인지 생각했다. 내가 만난 귀인들과의 만남이 지금의 나를 있게 했다. 초등학교 2학년 때 일어나지 못하는 병에 걸려 죽음직전까지 갔던 나를 살려준 민간요법 아저씨, 학습부진아였던 내가 장학사, 연구사, 교장이 되게 해준 많은 귀인. 이 모든 경험과 지식이 담긴 책을 쓰기로 했다. 이것이 누군가에게 도움이 될 수 있다는 확신이 들었다. 우리 속에는 모두 숨어있는 거인이 있음을 알았기 때문이다.

나는 그동안 내가 평생을 바친 초등학교에서의 교육 경험을 통해, 초등 엄마들에게 하고 싶은 말을 썼다. 그래서 '초등엄마수업'이라고 제목을 정했다. '초등엄마수업'을 출간하기 위해 많은 출판사에 메일을 통해 투고했다. 그 많은 출판사에 메일을 보내는 일은 쉽지 않았다. 투고 후 몇 군데의 출판사에서 출간하자는 제의가 들어왔다. 그중에서 가장 신뢰가 가는 곳에 출간을 의뢰했다.

그 출판사에서 출간 작업을 다 해주었다. 나는 글만 쓰면 되었다. 그러나 매년 2권의 책을 내기로 다짐한 내가 매번 그 과정을 거칠 생각을 하니 쉽지 않았다. 그러던 차에 한국지식문화원 권경민 대표의 출판지도사 자격증 과정을 알았다. 바로 이거라는 생각에 바로 수강 신청했다. 강의를 들으니, 출판지도사는 책쓰기와 다른 매력이 있었다.

출판지도사 자격증 과정은 총 5주였다. 온라인 강의였기에 제주도를 비롯하여 전국에서 함께 강의를 들었다. 수강생은 직장이 있거나 다른 일을 준비하는 등 다양했다. 밤에 모였으나 모두 하나라도 더 알고자 하는 자세로 열심히 수강했다.

작가로서 몇 권의 책을 쓰기는 했으나, 그 이후 출판이 어떻게 이루어지는지 알지 못했다. 출판지도사 자격증 과정을 진작 배웠더라면 책쓰기가 훨씬 쉬웠을 것이다. 함께 강의들은 동료들이 다양한 방면에서 출판지도사로 활동하는 모습을 보면 놀랍다.

출판지도사 자격증 과정은 다음과 같다.

1. 강사 소개 및 출판지도사 자격증 소개: 민간 자격 선택 요령,
   자격증 취득 후 활동
2. 출판산업 이해: 출판 과정, 용어, 출판 방식, 인쇄, 비용, 유통 이해
3. 책쓰기 코칭 실무: 출판 목적, 타깃, 주제, 제목, 목차, 글쓰기,
   인용, 필사, 벤치마킹, 퇴고
4. 책쓰기 강사 출강 실무: 강의 제안서, 강의 섭외, 수강생 관리,
   저작권, 초상권, 출판 기념회
5. 책쓰기 코칭 과정, 공저 출판 과정 운영: 과정 모집, 운영, 홍보
   노하우, 출판계약서

6. 전자책 발행 유통: 무료 전자책 출판 플랫폼, 유통사 계약 직거래
7. 종이책 발행 유통, 대행: 무료 출판 플랫폼, 유통사 계약 직거래,
   유통 방식 선택
8. 출판사 설립 및 운영: ISBN, 발행자 번호, 출판사 설립, 세무,
   유통사 계약, 유통 실무, 외주
9. 자격증 시험 및 발급 수령: 시험 응시, 출판지도사 자격 과정 운영

이 과정을 들으며 출판 과정을 배운 것뿐만이 아니었다. 나만의 강의 제안서도 만들었다. 제안서에 들어갈 프로필도 준비했다. 나를 브랜딩하는 다양한 방법을 배웠고, 바로 실행으로 옮겼다. 이제 언제든 출판지도사로 활동할 수 있도록 준비했다.

특히 강의 중 인생을 바꿔 놓은 출판, 집필, 출판사 운영, 강연, 마케팅, 수익화 등의 모든 노하우를 가감 없이 나눔 받았다. 이러한 강의는 그 어디서도 들을 수 없다. 출판지도사는 작가들이 최소 8주 만에 종이책을 손에 쥘 수 있게 할 수 있다. 전자책은 더 빠르다.

글은 단순한 문자의 배열이 아니다. 그것은 생각과 감정, 경험과 꿈이 담긴 예술의 한 형태다. 글을 통해 우리는 다른 사람들과 소통하고, 자신을 표현하며, 세상에 영향을 미친다. 출판지도사는 작가들이 그들의 이야기를 최고의 형태로 탄생시키는 데 도움을 준다.

출판지도사의 지식과 경험은 작가가 그들의 목소리를 찾고, 글을 통해 깊은 메시지를 전달할 수 있도록 이끈다. 또한 작가와 함께 성장하고, 그들의 꿈이 현실이 되는 것을 볼 수 있는 매력적인 일이다.

꿈을 이루게 하는
출판지도사

　현재 책쓰기를 원하는 사람은 많다. 많은 사람의 버킷리스트 중의 하나다. '호랑이는 죽어서 가죽을 남기고, 사람은 죽어서 이름을 남긴다'는 것은 결국 책이다. 그 욕망이 누구에게나 있다.

　사람들은 자신의 이름으로 책 한 권을 내고 싶다는 말을 모두 하곤 한다. 책은 누구나 쓰고 싶어 한다. 심지어 초등학교 아이들조차도 자신의 이름으로 작은 책이라도 만들면 좋아한다. 그래서 책쓰기 과정은 넘쳐난다.

　이에 발맞추어 각 지자체, 도서관, 평생교육관, 대학 평생교육기관 등에서 앞다투어 강좌를 개설하고 있다. 하지만 보통은 글쓰기나 책쓰기 과정이다. 나도 여러 기관에서 글쓰기에 참여해 보았으나 책이 내 손에 쥐어지지 않으니 허무했다.

출판지도사가 되어 책쓰기 과정을 개설하거나 출판지도사 자격증을 딸 수 있게 하는 과정은 다른 과정과 차별화된다. 출판지도사 자격증을 따면 바로 출판지도사가 된다. 자격증 취득 후 또 다른 출판지도사를 양성하여 수익을 낼 수 있다. 은퇴자, 주부, 사업자, 경단녀들이 경제적 활동을 쉽게 할 수 있도록 해줄 수 있다. 이보다 더 좋은 자격증은 없을 것이다.

사람들이 책쓰기를 원하는 이유는 다음과 같다.

첫째, 자신의 브랜딩을 위해서다.
다양한 분야의 전문가에게 책은 중요한 경력이 될 수 있다. 이는 해당 분야에서 작가의 신뢰도와 권위를 확립하거나 향상해 강연, 컨설팅, 코칭 등 새로운 기회의 문을 열어줄 수 있다.

둘째, 자신을 표현하기 위해서다.
꾸며낸 이야기이든 실제 모험이든 많은 사람은 흥미진진하고 재미있거나 흥미로운 이야기를 독자들과 공유하기 위해 책을 쓴다.

셋째, 아는 것을 공유하기 위해서다.
사람들은 누구나 특정 분야의 전문가이거나 공유하고 싶은 독특한 경험과 지식을 가지고 있다. 책을 쓰면 자신의 지식이나 전문 지식을 더 많은 사람에게 알릴 수 있다.

넷째, 유산으로 남기기 위해서다.
인생의 교훈을 공유하고, 가족 이야기를 보존하고, 역사 기록에 기여

하고 싶어 할 수도 있다. 책을 쓰면 그들의 생각, 경험, 관점이 평생을 넘어 지속될 수 있다.

다섯째, 치유를 위해서다.

책쓰기를 통해 마음을 치유할 수 있다. 자신의 감정이나 경험을 정리하여 자신을 더 잘 이해함으로 치유되기도 한다.

여섯째, 교육 또는 정보를 제공하기 위해서다.

다른 사람을 교육하기 위해 책을 써서 독자들이 복잡한 주제를 배우고 이해하는 데 도움이 될 수 있다.

이렇듯 책쓰기를 하고 싶은 이유가 다양하고, 책쓰기를 원하는 사람이 많다. 그러나 책쓰기만을 해서는 내 책을 만져보기 어렵다. 출판지도사를 통해 책을 출판한다면 쉽게 내 책을 만져볼 수 있다. 출판지도사가 되니 출판 과정을 알게 되어 손녀를 위한 책을 출간하기도 했다. 나를 브랜딩하기 위한 책도 쉽게 출간할 수 있었다.

출판지도사 자격을 얻은 후 지인들에게서 연락이 왔다. 책쓰기 동아리를 만들어 책을 쓰자고 했다. 내가 출간한 사실과 출판지도사가 된 것을 알고 도움받고 싶어 했다. 마침 좋은 기회라 생각하여 수락했다. 많은 사람이 책을 쓰고는 싶으나 그 과정을 모른다. 책을 출판하는 일은 막연히 힘들다고만 생각한다. 그러나 출판지도사는 책이 출간되는 과정을 모두 알고 있기에 책을 쓰게만 도와줄 뿐 아니라 책을 만들어 줄 수 있다.

자신의 이름이 있는 책을 출간하고 나니, 출판지도사에 대해 관심을 두고 물어오는 회원들이 있었다. 이들을 대상으로 출판지도사 자격증 과정을 개설했다. 배운 대로 5주의 과정으로 시작했다. 책쓰기 동아리에 참가한 사람들이 대부분 은퇴를 앞둔 사람들이었다. 출판지도사 자격증을 받고 인생 2막을 출판지도사로 살 수 있는 자격증 받은 것을 뿌듯해했다. 그 모습을 보는 나는 더 뿌듯했다.

퇴직 후 남은 인생을 어떻게 살아야 할지 고민하는 사람들이 많다. 그동안 힘들게 직장생활을 했으니 운동하고 여행만 다니며 살고자 한다. 그렇지만 1년만 지나도 너무 지루하다고 느낀다. 은퇴 후에도 살아갈 날들이 많다. 뭔가 의미 있는 일을 하고 싶은 것이 은퇴자들의 생각이다. 게다가 연금으로 그럭저럭 살겠지만, 연금만 받아서는 솔직히 지금의 생활을 이어가기 어렵다는 것을 모두 알고 있다.

은퇴 후 어떤 사람은 시골에 내려가서 전원생활을 하며 산다고 한다. 그러나 이러저러한 이유로 10년도 채우지 못하는 경우가 많다. 어떤 사람은 그동안 모은 퇴직금으로 사업을 시작하다 낭패를 보기도 한다. 희한하게도 놀거리가 없는 사람들은, 퇴직 후 몇 년 되지 않아 나이가 더 들어 보이는 경우가 많다. 사람은 가치 있는 일을 하며 놀아야 젊게 살 수 있다.

최근 AI로 인하여 많은 사람이 일자리를 잃고 있다. 단순직에서부터 전문직에 이르기까지 예외가 없다. 자신의 의도와 다르게 세상이 돌아가고 있다. 그러나 그렇게 힘이 드는 상황에도 '위기를 기회로' 만드는 지혜가 필요하다.

나는 교사의 꽃이라는 교장의 직을 내려놓고 명예퇴직을 했다. 장학사, 연구사를 하며 주말도 없이 새벽에 별을 보고 출근했다. 한밤중에 별을 보며 퇴근했다. 새로 이사를 하고 잘 꾸며진 아파트 단지를 즐겨 보지도 못했다. 몇 년 동안 아파트 지하 주차장만 봤을 뿐이다. 그 힘든 과정을 거쳐 교장이 되었는데 왜 명퇴를 하냐는 말을 많이 들었다.

나는 초등학교 입학부터 시작하면 나의 삶을 거의 학교라는 울타리에서 보냈다. 중간에 휴학한 적도, 휴직한 적도 없이 평생을 학교에서 아이들을 잘 교육하기 위해 살았다. 열심히 살았기에 후회함도 없다. 이제는 남은 나의 생을 위해 힘을 쏟고 싶었다. 그러던 차에 출판지도사과정을 만나 감사하다.

나는 오픈채팅방에 '[써니킴쌤]인생업스쿨'을 개설했다. 더 나은 인생을 살기 원하는 사람들을 도와주고 있다. 오픈채팅방 온라인 강사로도 활동한다. 출판지도사 자격증 과정, 책쓰기 과정, 온라인 툴 등을 강의한다. 적은 비용으로 책을 출간하게 도와주고, 출판지도사 자격증도 갖게 해주어 인기가 많다.

매년 출판지도사를 2달에 1번 10명씩 배출할 예정이다. 오프라인과 달리 온라인에서 하는 강의는 시간과 장소의 제약이 없다. 그래서 출판지도사가 매력적이다. 출판지도사는 무자본으로 1인기업이 되어 수익을 창출할 수 있다. 출판지도사는 수익을 창출할 뿐만 아니라, 지속적인 학습과 성장의 기회를 얻게 된다.

새로운 작가들을 만나고, 다양한 장르와 스타일을 탐험하며, 출판의 모든 측면에 대한 깊은 이해를 얻게 된다. 또한 작가의 초기 아이디어가 성공적인 출판물로 만들어지는 과정을 지켜볼 수 있어 매우 보람 있다. 출판지도사인 나의 조언과 지원이 작가의 꿈을 이루는 데 도움이 되는 것을 보며, 무한한 자부심을 느꼈다.

내 안의 숨어있는
거인을 깨우라

　사람들은 말한다. "소비자가 될 것인가? 생산자가 될 것인가?" 글쓰기가 소비자라면 출판지도사는 생산자다. 글쓰기 지도를 통해서도 수익을 창출한다. 그러나 책을 출간하려는 많은 사람의 꿈을 이루어주는 출판지도사는 매력적인 일이다. 책쓰기 강사와 출판지도사는 격이 다르다.

　책을 출간하기를 원하는 사람들이 많기에 출판지도사를 원하는 곳은 많다. 더구나 온라인 강의도, 오프라인 강의도 가능하다. 꼭 책쓰기만을 강의하는 것이 아니기에 글을 잘 쓰지 못해도 된다. 싱어송라이터들이 노래를 못해도 곡을 만들 수 있다. 출판지도사도 마찬가지다. 그래서 주부도, 직장인도, 시니어 등도 마음만 먹으면 누구나 자격증을 딸 수 있다. 5회의 강의를 통해 차별화된 자격증을 딸 수 있는 것이다. 과정에 참여한 사람들에게 더 나은 인생을 살게 해줄 수 있다는 자부심이 있다.

나는 앞으로 전자책 출판 대행, 종이책 출판 대행, 책쓰기 코칭, 공저 프로젝트 진행할 것이다. 주변의 공공도서관과 평생학습관 개인 코칭, 그룹 코칭을 통해 출판지도사 자격증 과정을 개설할 것이다.

오프라인뿐 아니라 오픈채팅방에서 '[써니킴쌤]인생업스쿨'을 세웠다. 출판지도사가 되고 싶어 하는 사람들의 꿈을 이루게 할 것이다. 그들이 또 다른 사람들의 꿈을 이루게 할 것이다. 세상은 넓고 할 일은 많다.

이 모든 일은 나만이 할 수 있는 일이 아니다. 여러분 누구나 할 수 있다. 글을 잘 쓰지 않아도 된다. 이 글을 읽고 읽는 당신도 할 수 있다. 당신은 거인이기 때문이다. 당신 안에 숨어있는 거인을 일깨우길 바란다. 눈을 들어 넓은 세상이 있음을 보길 바란다.

60년을 살아보니 알고있어도 소용이 없었다. 누군가 앞에서 힘들게 닦아놓은 길을 그대로 걸어가기만 하면 된다. 성공자들은 실행하고, 실패자들은 실행하지 않는다. 그 차이뿐이다. 그래서 거인의 어깨 위에 서야 하는 것이다.

지금 바로 실행하지 않으면 그 기회는 다른 사람에게 간다.
먼저 시작하는 자에게 기회가 주어진다.
한국지식문화원 출판지도사 과정! 지금 바로 신청하라!

김 성 준

작가, 출판지도사

010. 5122. 7262 tjdwns082881@naver.com

소속

한국비즈니스지식문화원 대표

한국지식문화원 제주센터장, 대표강사

활동

한국비즈니스지식문화원 출판지도사,대표강사

보험멘토링아카데미 출판지도사

  - 보험설계사 출판지도

비즈니스멘토링아카데미 출판지도사

  - 소상공인 출판지도

저서

「돈이 되는 퍼스널브랜딩 이제는 우리가 주인공」

본인의 분야에서 새롭게 변화될 수 있도록 지도해 주는

나는 출판지도사

"기회는 찾아오기도 하지만 내가 만들어 가는 것이기도 하다.
나의 발전을 위해서 도전해 보자!"

보험설계사에서 책을 쓰는 작가로 그리고
책을 쓸 수 있게 지도해 주는 출판지도사로

나는 보험설계사이다. 보험 일을 시작한 지 4년 차가 되어간다.

보험설계사라는 직업은 사람들에게 보험 상품을 판매하는 것이기 때문에 영업직으로써 여러 가지 방법들을 사용해서 사람들에게 보험 상품을 안내한다. 우리나라의 보험설계사들은 40만 명이 넘는다. 그만큼 내 지인들을 기준으로 봤을 때 지인 1인당 주변 보험설계사가 나 외에 많을 정도로 보험설계사로 일하는 사람들이 많다. 그만큼 경쟁이 치열하다는 것이다.

그래서 나는 일반 보험설계사들처럼 상품을 판매해서는 경쟁에서 뒤처질 거로 생각하고 보험방송전문가로 활동할 수 있는 회사에 입사 한 뒤 보험 상품에 대한 지식을 습득하고 그것을 기반으로 경제방송 채널에서 진행하고 있는 보험방송 프로그램에 전문가로 출연 활동을 하게 되었다.

내가 방송 활동을 하면서 일반 보험설계사들과의 차이가 날 수 있었던 점은 나도 보험설계사이지만 고객들에게 보험 상품에 대한 정확한 정보와 전문적인 지식으로 올바르게 가입할 수 있게 해주고 보상도 최대한 받을 수 있도록 더 전문적으로 관리를 해준다는 점에서 전문가로서 활동하고 있다.

이것이 나는 고객에게 신뢰를 주고 다른 보험설계사들과 다르다고 생각할 수 있는 나만의 브랜딩이라고 생각했다.

4년이 지난 지금은 보험방송전문가로서 활동하는 사람들이 늘어나면서 고객들에게 더 많은 신뢰감을 줄 수 있는 다른 브랜딩이 필요하다고 생각했다. 그래서 나는 작가로서 나만의 보험 전문 도서를 쓰는 도전을 하게 되었고, 네이버 인물검색에서도 작가로 등록할 수 있었다.

이것이 나의 2차 브랜딩인 것이다.

나는 보험설계사이지만 보험 상품에 대한 정확한 정보와 전문적인 지식으로 방송 활동하고 있는 전문가이고 보험 전문 도서도 출간했으며 네이버 인물검색에도 내 이름을 검색해 보면 나오는 나는 보험전문가입니다.

이제는 고객들이 보험점검서비스를 신청하고 내가 상담을 해주러 방문하면 상담 전에 내 소개를 하는데 보험방송전문가로 활동하고 있다고 소개했을 때 보다, 거기에 네이버에 제 이름을 검색해 보면 나오는 사람이고 전문 도서도 쓴 전문가라고 소개하니 고객이 나를 더 많이 신뢰하고 상담을 받은 뒤 좋은 결과도 나오고 상담 소개도 나오게 되었다.

이렇듯 브랜딩이란 어떤 분야에서든 꼭 필요한 요소라고 생각한다.

그래서 나는 보험전문가로서도 활동하고 있지만 한 회사의 조직장으로서 밑에 전문가들을 육성하는 일도 하고 있다. 그래서 그들에게도 방송전문가로 활동할 수 있는 것과 나처럼 작가로서 보험 전문 도서를 쓰게 해주기 위해서 출판지도사 자격까지 취득했다.

처음에는 나도 공조로 책을 출간했지만, 나만의 전문도 서책을 출간한 것도 아니고, 전문적으로 책을 쓰는 작가도 아닌데 출판지도사로서 다른 사람에게 책을 쓰게 하는 것을 잘 지도할 수 있을까? 라고 걱정도 많았고 자신감도 없었다.

하지만 내가 공조로 함께한 책이 나오고 책 앞 페이지에 내 이름이 들어간 것과 네이버에 책 이름을 검색했을 때 교보문고에서 정상적으로 판매되는 것을 보며 약간은 신기하기도 했고 자신감도 조금씩 생기기 시작했다. 그러다가 자신감이 더 많이 생긴 것은 네이버 인물검색에 내 이름을 검색했을 때 나오는 거에서 자신감이 더 많이 올라갔다.

그래서 내가 브랜딩이 된 부분을 다른 사람들에게도 똑같은 마음을 전달해 줄 수 있겠구나. 라는 생각이 들면서 자신 있게 지도할 수 있는 출판지도사로서 첫발을 내가 디딜 수 있었다.

주변 분들이 본인 직업에 대한 고민을 많이 한다
그들에게 새로운 비전을 심어준다

우선 첫 번째로 출판지도사로서 다른 사람들에게 내가 느꼈던 마음을 그대로 전달할 수 있었던 사람들은 우리 회사에서 내가 한 지점의 조직장으로 근무하면서 나와 같이 일하고 계시는 설계사님들이었다.

그분들도 본인들 영업하고 계시는데 각기 스타일이 다르다 보니 보험교육을 똑같이 해드려도 영업을 잘하시는 분이 있고 영업을 못 하시는 분이 있었다. 영업을 못 하게 되면 당연히 경제적으로 어려워지게 되는데 조직장으로서 같이 걱정을 안 할 수가 없게 된다.

그래서 이것저것 더 신경 쓰고 있는 가운데 내가 하는 브랜딩을 할 수 있게 해드리면 고객을 만났을 때 조금 더 자신감이 생겨서 영업에 도움이 되지 않을까 싶어서 우리 지점의 설계사님들에게도 보험 전문 도서를 쓰게끔 설명해주고 있다.

보험방송전문가에 이어 네이버에 이름을 검색했을 때 본인에 대한 인물 정보가 나오는, 새로운 브랜딩이 된다는 거에 모두 좋아하고 또 다른 브랜딩으로 고객들에게 조금 더 자신감 있게 영업할 수 있겠다고 말해서 공저로 보험 전문 도서를 쓰는 과정을 말해주고 진행을 앞두고 있다.

우리 지점에서 반응도가 좋은 것을 시작으로 우리 회사에 다른 설계사님들 포함, 전국 보험설계사들이 모여 있는 카카오 오픈채팅방에도 보험방송전문가와 보험 전문 도서 책 출간에 대한 브랜딩을 공유하면 좋겠다는 생각에 지금 현재 공조 인원을 모집하고 있다.

나 자신부터가 또 다른 브랜딩이 되고 거기서 느꼈던 마음들을 다른 사람들에게 같은 마음을 전달해주는 것은 내가 지금 보험설계사로서 하는 일에 이어 출판지도사로서 더욱더 보람됨을 느끼고 있다.

나중에 내가 지도했던 설계사님들이 한명 한명씩 본인의 브랜딩으로 힘든 시절을 딛고 일어서며 인정받는 보험전문가로서 활동하고 성공한 모습을 본다면 그때는 정말 감격스러울 것 같다. 그리고 그렇게 될 수 있도록 응원한다.

출판지도사로서 활동은 우리 보험설계사 분들에서만 이뤄진 것이 아닌 내가 상담을 도와드린 고객분들에게서도 영향력이 전달되었다.

보험상담 도와드리다 보면 여러 업종에서 일하시는 고객분들을 만나게 되는데 요즘 본인이 하는 일에 고민이 많다고 하시는 분들이 많다.

그중 경찰로 일을 하시면서 진급시험을 준비하고 있는데 진급시험을 준비하는 목적이 경찰 현장근무에서 경찰대학교 교수로 보직변경을 하려고 하시는 분이 있다. 직급 이상이 되면 신청할 수 있는 조건이 있고 사건 수사실적과 그 지역의 담당 경찰청장의 추천으로 신청할 수 있는 두 가지 조건이 있다고 한다.

경찰청장의 추천을 받아 신청하는 것은 이쪽으로 지원하는 경찰들이 많아 이분은 사건 수사실적은 되는데 경찰청장의 추천을 받기가 쉽지 않을 것 같아 진급시험을 봐서 합격 후 교수로 신청할 계획을 하고 있었다. 그래서 2023년 작년 여름부터 시험 준비를 했고 2024년 올해 1월 12일에 시험을 치렀다고 한다.

그런데 시험을 치르고 합격자 발표가 났는데 아깝게도 시험에는 떨어졌다. 낙담하면서 가족들도 힘들어하는 부분 때문에 더는 진급시험을 또 준비하기는 힘들 것 같고 그냥 어쩔 수 없이 현장근무를 계속해야 할 것 같다고 나한테 반 넋두리 하듯 나한테 말씀하셨다.

그래서 나는 어떤 위로의 말을 해드리기보다 이분한테 도움이 될 만한 게 뭐가 있을까? 생각이 들었고 본인의 저서를 쓴다면 그리고 네이버 인물검색에서도 본인이 브랜딩이 된다면 변화될 부분이 뭘지 생각하고 선생님께 얘기를 해보았다.

그러면 선생님 동료분들이 처음에 경찰을 준비할 때, 그리고 경찰직을 하면서 애로사항들이 있지 않냐고 묻자, 경찰대학시험에 합격하고 경찰로서 일을 시작할 때 사명감을 같고 경찰직을 시작하는데 경찰직

자체가 위험에 노출된 부분이기도 하고 근무 환경도 현장근무를 많이 하는 직업이기 때문에 출근 퇴근 시간이 정해져 있는 것도 아니고 남들이 다 쉬는 명절에도 시민들의 안전을 위해서 근무해야 하는데 이런 부분을 누가 알아주는 것도 아닌 것에 직업적 회의를 느끼는 경찰관들도 많다고 한다.

그래서 나는 선생님께 동료들을 위한 동기 여부 책을 써보는 건 어떻겠냐고 말하자 책이라는 말에 이해를 잘못하셨는데 차근차근 얘기를 해드렸다. 선생님이 경찰대학에서 교수로 보직 이동을 하기 위해서는 담당 경찰청장에게 추천을 받아야 하는데 선생님이 동료들의 동기 여부 책을 쓰고 이 책을 동료들에게 나눠주면서 조금씩 위로 와 격려를 해주다 보면 동료 후배들이 선생님께 상담할 것이고 그 상담자가 많아질 때쯤 한번 강연장에서 강의형식으로 공식적으로 진행을 하고 그런 강의들이 반복되면 어느 순간 소문이 나서 경찰청장에게도 보고가 올라가지 않을까요? 라고 말을 하자 그때야 이해하시고 그럼 어떻게 쓰면 되는지 물어보셨다.

이분 또한 책을 쓰는 것에 이해를 못 하셨다. 그리고 내가 하는 일에서 딱 정해진 대로의 방식으로 목표를 이루고자 했다. 그런데 내가 하는 일이 책을 쓰는 것으로 바뀔 수 있다는 것에 신기하고 도전해 보고 싶다고 했다. 거기에 본인이 그전에 하고 싶었지만 어쩔 수 없는 현실 속에서 뒤로 미뤄뒀던 꿈을 책으로 펼쳐보고 싶다고도 하셨다.

나 또한 나의 말 한마디가 다른 사람의 인생을 변화시킬 수 있는 영향력이 되는 존재라는 것에 또 한 번 감격하는 순간이었다.

그리고 다른 분은 요가 매장을 운영하시는 선생님이신데 이분은 수상경력도 있으시고 네이버 상위 노출 광고도 하시고 인스타그램이나 블로그 등 홍보를 많이 하시는 선생님이신데 회원 수가 많지 않아서 매출 때문에 걱정을 많이 하셨다.

요즘 같은 때에 자영업을 하시는 분들은 엄청 힘든 시기인 것 같다. 물가가 많이 오르다 보니 자연스럽게 매장 월세도 인상이 되었고 그렇다고 판매가를 올리자니 손님들이 줄고, 이런 상황에서도 다른 곳과 차별성이 있어야 그나마 손님을 끌 수가 있는데 그것마저도 쉽지는 않은 것 같다.

이분 또한 "본인이 광고도 하고 있는데 왜 회원 수가 적은 것일까?"라고 나한테 한탄을 하고 계셨다. 그래서 나는 "지금 홍보하고 있는 것들이 매장 홍보에 관한 것들만 있지 않나요?"라고 묻자, 그렇다고 말씀하셨다. "그러면 하는 광고들이 다른 데서 하는 것과 똑같은 것 같은데요?"라고 말하자 그것도 맞는 것 같다고 말씀하셨다.

결국은 차별성의 문제였다. 광고 속에 본인의 수상경력도 광고하고 있었지만 누가 봐도 끌릴만한 본인 홍보가 아니었다. 그러면 어떻게 하면 좋을까? 라는 생각에 요가로 인한 책을 써보려고 한 적 있으신가요? 에 대한 질문에 책을 어떻게 써야 할지 몰라서 생각조차 하지 못했다고 하셔서 또 차근차근 말씀드렸다.

선생님이 요가 트레이너로 네이버 이름만 쳐도 인물검색으로 나오는 분이라면 회원들에게 뭔가 유명한 강사라고 생각이 들지 않을까요? 거기에 지금 광고하고 있는 것들을 곁들여서 수상경력, 요가 훈련에 대한 체계적인 시스템, 블로그 홍보, 인스타그램 홍보, 유튜브 홍보, 그리고 여기에 요가 성공법칙이라는 전문 도서까지, 네이버 인물검색에도 나오는 유명한 요가 강사 콘셉트. 이라고 말씀드리자, 그제야 이해했다며 책을 어떻게 쓰면 되는 거냐고 물어보셨다.

책을 쓰는 과정 6주, 책이 나오고 네이버 인물등록까지 해서 네이버에 이름 검색이 나오기까지 합치면 8주, 두 달이 걸리는 시간이다. 두 달이 걸리는 시간 동안 지금 홍보하고 있는 광고들을 다시 한번 검사하며 네이버 인물검색을 기반으로 사실 있게 회원들을 끌 수 있는 마케팅 전략을 다시 한번 세워 보라고 말씀드렸다.

그 외에도 피부관리 매장, 바이올린 교습소 등 여러 선생님이 하는 일에 고민했던 부분을 책을 쓰는 것으로 해결책을 찾고 그 안에서 변화되는 것에 도전을 준비하고 계신다.

앞으로 변화되고자 하시는 분들은 많아질 것이다, 그만큼 지금이 몹시 어려운 시기이고 그 어려운 시기에 내가 변화되어야만 다시 일어날 수 있어서 망설이지 말고 도전을 하라고 말씀드린다.

그런 말이 있다. 성공하려면 기회가 나한테 언제 오지? 하면서 기다리기보다 내가 그 기회를 만드는 거라고.

지금까지 잘 되길 바라며 열심히 해 왔지만, 성공의 방법을 몰라 이루지 못한 것일 뿐, 이제부터는 성공의 길을 하나하나씩 만들어 가면 될 것 같다.

단순히 책만 쓰게 지도해 주는 것이 아닌
나는 그들에게 인생이 변화될 수 있게 해주는
출판지도사

　내가 하는 일은 단순히 책을 쓰게끔 지도만 해주는 것이 아니다. 글쓰기, 책쓰기 훈련. 즉 글을 잘 쓰기 위해 훈련하는 곳들은 주변에 많이 있다. 그러면 '내가 하는 일은 그것과, 틀린 것이냐?'라고 질문할 때 나는 이렇게 말할 수 있다.

　나의 출판지도는 그들의 인생에서 새로운 도전으로 인해 환경이 변화되고 변화 속에서 성공을 끌어낸다고 말하고 싶다.

　일반 설계사는 보험전문가로서의 변화, 보험회사에 판매 자격증 취득 후 보험회사에서 교육을 받고 고객한테 이롭게 상품을 판매한 것이 아닌 내 이득만 생각해서 상품을 판매했다면 이제는 한층 더 전문가로서 보험에 대한 정확한 정보와 지식으로 고객이 가성비 있게 올바르게 가입할 수 있게끔 도와주고 결국 보장을 받는 부분에서도 보상 전문가를 통해 보장을 제대로 잘 받을 수 있도록 관리 서비스까지 해줄 수 있는 전문가인 것이다. 그렇다면 여기서 말로만 전문가인 게 아니라 보험방송에도 출연하는 전문가로, 보험 전문 도서를 쓰는 작가로, 그리고 네이버에 이름 검색만으로 유명한 전문가임을 확인할 방법들이다. 이렇게 일반 설계사에서 보험전문가로 변화됨으로써 한층 더 고객에게 신뢰를 받고 또 소개도 받으면서 소득 역시도 늘어남으로써 성공의 반열에 오를 수 있는 것이다.

또 일반 경찰관은 경찰대학교 교수로의 변화, 보통은 경찰관에서 경찰대학교 교수로 보직 이동을 하기란 쉽지 않다. 경찰청장의 추천을 받아야 하는 부분에서 여러 가지의 수행 능력을 본다. 사건 수사에 대한 해결 경험치, 동료들을 이끌고 가는 지도력 등, 그래서 사전에 동료들에게 존경받는 모습들을 관리를 통해 만들어 갈 수 있는 부분이 있기에 동기부여 책 출간과 강의 등으로 그런 것들을 하나하나씩 경력을 쌓았을 때 충분히 경찰청장으로부터 좋은 점수를 받아 경찰대학교 교수로 보직 이동을 할 수 있을 것이다.

그리고 일반 요가 트레이너에서 건강한 몸을 만드는 전문가로, 피부관리사에서 아름다운 아카데미 원장으로, 바이올린 프리랜서 선생님에서 음악으로 꿈을 꿀 수 있게 모든 걸 조절해주는 전문지도사로, 남들과 별 차이가 없었던 부분에서 전문가로 한층 더 발전할 수 있게끔 방향을 잡아줌으로써 변화에 성공할 수 있는 것이다.

그러면 출판지도사로서 지도하면서 도전자들이 어떤 부분으로 책을 써나갈 것이고 어떻게 변화해 나갈 것인지에 대해 방향성을 같이 고민하겠지만, 결국은 본인들이 하는 일에서는 나보다 더 전문가이기 때문에 변화를 만들어 감에 있어서 본인들이 많은 부분에 노력해야 한다.

책을 쓰고자 할 때 그 분야에 대한 정보나 지식은 기본적으로 알고 있어야 하고 더 전문적인 부분은 자료들을 수집해서 그 또한 내가 다 실습을 하거나 경험을 토대로 글을 써나가야 한다. 그리고 요즘 흐름은 어떤 부분으로 흘러가고 있는지 등, 뒤처지지 않는 많은 기술 비법들도 가지고 있어야 한다. 이런 것들이 단순히 책을 쓰는 데 필요한 요소들이 아니라 내가 지금과, 틀린 모습으로 변화되고자 할 때 반드시 전문가로서 알고 있어야 하는 부분이기 때문에 꼭 내 것으로 만들어야 한다.

지금까지 짧은 기간에 여러 설계사분과 고객분들과 만남 속에서 대화를 통해 그들이 고민했던 부분을 나누고 조금은 책을 쓰는 것으로 변화될 수 있는 것에 도전하고 있지만, 무엇보다 나를 믿어주고 신뢰를 해주는 부분에서 감사한 마음을 전하고 싶다.

사실 아직도 나는 지금 막 첫발을 내디딘 초보 출판지도사이다.

나 역시도 출판지도사 훈련을 받으면서 나를 믿고 나와 함께 책을 쓰고자 하시는 분들에게 방향성은 어떻게 잡아야 하고, 책을 쓸 때 유의 사항들이나, 책 출간 전 단계인 마지막 검토까지 수정작업 등, 6주라는 과정까지 잘 따라오게 지도할 수 있느냐는 부분에 조금은 걱정이 되긴 한다.

하지만 나 역시도 한 번쯤은 겪고 넘어가야 할 부분이고, 당연히 실패가 있어야 성공이 있듯이 많은 경험을 해야 성장할 수 있을 거라 생각한다.

그래도 하나는 분명히 알 것 같다. 내가 좋다고 느끼는 것에 대해서 다른 사람들에게 그 좋은 것을 느낄 수 있도록 전달해주고 변화될 수 있게 지도해 주는 것만큼은 좋은 영향력이라는 것을.

지금부터 많은 사람을 만나면서 그 안에서 출판지도사로서 일하겠지만, 나 역시도 출판지도사이기 전에 책을 쓰는 작가로서 나만의 저서를 쓰기 위해서 글 쓰는 연습도 많이 해야 할 것 같다. 그래야 책을 쓰는 것에 도전하는 분들에게 더 많은 지도를 할 수 있기 때문이다.

그리고 지금은 아니겠지만 나중에 한 번쯤은 초·중·고 등 학교 학생들, 그리고 노인복지센터에 어르신들, 장애인복지센터에 장애인들, 에게도 책 쓰는 지도를 해보고 싶다.

아마 이쪽은 경험이 많으신 지도사분들도 지도하기가 쉽지 않을 것이라는 생각이 든다.
그만큼 많이 신경을 써야 할 곳일 것 같은데 그래도 그들의 이야기를 들어보고 싶고, 그들의 마음은 어떤 마음인지도 느껴보고 싶은 마음이다.

그러기 위해서 여러 사람 만남 속에서 나 역시도 많은 경험을 해야 하고 그 안에서 그들의 고민을 들어주고 그 고민이 해결될 수 있는 부분까지 책을 쓰는 것으로 얼마만큼 변화될 수 있을지도 같이 방법을 찾아가며 조금 조금씩 도전해 나갈 것이다.

작가. 그리고 출판지도사.

그냥 말만 들어도 내 인생에서 꿈만 같은 그리고 꿈을 꾸고 싶은 단어들이다.

많은 책도 써볼 것이고 그것으로 인한 행복함도 전할 것이다. 네이버에 나의 도서가 하나하나씩 늘어가는 그날을 꿈꾸며…

그리고 나로 인해서 다른 이들도 그 꿈을 꿀 수 있길 바라며, 오늘도 나는 도전한다.

김영희
010. 2537. 2552 dud-0718@naver.com

춤추는책, 허브&플라워 대표
교육학 석사, 국어교육 전공

강의 경력
온/오프라인 글쓰기 강의, 부모 교육,
자기주도학습 강의, 책 쓰기 강의

경력
초, 중, 고 교육 경력 20년
한국작가협회 평택안성지부장
행복도서관장

저서
「자격증육아」 외 15권

시크릿 스위치를 가진
출판지도사

"당신은 무엇이든
원하는 대로 되고, 하고, 얻을 수 있다."
- 조 바이탤리 박사 -

1그램짜리 인생

　무거운 다리를 끌고 도착한 곳은 처음 그 시간이었다. 2019년 5월, 출판사를 오픈하고 단 한 권의 책도 발간하지 못 한 처음 시작에 서 있었다. 뭘 그렇게 많이도 배워왔는지 셀 수 없을 만큼 쌓인 자격증과 인풋의 흔적들이 여기저기 흩어져 있었다.

　자격증에 쌓인 파일을 바라보며 생각했다. '이제는 진정으로 쓰이는 자격증을 취득하자.' 그것이 바로 '출판지도사' 자격증이다. 인풋의 정점을 찍는 '출판지도사' 자격 취득 과정은 설렘 그 자체였다.

　'1그램도 되지 않는 인생의 무게로 시작할 수 있었던 것을, 100톤 무게를 짊어지고 걸어왔구나!' 생각 들 정도로 가볍고 신나는 배움의 과정이었다. 어렵게만 생각했던 출판 과정이 무척이나 쉽고 재밌게 느껴졌다.

머릿속에서만 맴돌던 실체 없는 그것이 명확하게 현실로 나타나는 순간이었다. 5주간의 과정이 5일처럼 느껴졌다. 아쉬움을 느낄 때쯤 자격증이 도착하고 '실로 출판지도사로서 활동할 수 있겠구나!' 생각하니 설렘이 한 층 더해졌다.

다시 모인 11인의 출판지도사들은 같은 방향을 바라보고 글을 써 내려갔다. 그 과정 또한 설렘 가득했다. 초고를 쓰기 시작한 지 8주 만에 실제로 책이 출간되고 실물이 손바닥 위에 놓여 있었다.

'실제로 이런 일이 있을 수 있구나!' 되는 것을 확인했으니 '나도 시작하면 되겠다.'라고 생각했다. 45개의 자격증을 가지고 있지만 실제로 사용한 자격증은 몇 안 된다. 교육에 관련된 자격증은 그것을 바탕으로 교육 과정을 만들어내는 것에 쓰였지만, 나머지 자격증은 장롱 면허처럼 파일 속에 얌전히 자리 잡고 있을 뿐이다.

출판을 한다는 것은 단순히 글을 쓰는 것과는 다르다. 글을 쓴다는 것은 혼자 하는 영역일 수 있지만 출판은 그렇지 않다. 글을 쓰는 작가와 편집자, 디자이너에서 인쇄 담당자까지 다양한 사람이 한 권의 책을 출판하기 위해 마음과 에너지를 모은다.

각자의 영역인 것 같지만 협업하는 것이다. 작가부터 편집자, 디자이너에서 인쇄 담당자까지 서로 소통하고 교정하고 수정하는 일련의 과정을 거쳐야만 한 권의 책이 출판되는 것이다. 한 가지가 잘못되면 나머지도 바르게 나올 수 없다.

자신의 이야기가 세상에 나오기까지 100톤의 무게를 이겨내야 한다. 다만, 혼자가 아니기에 짊어지고 있던 무게를 나눌 수 있다. 그래서 1그램도 되지 않는 인생이 될 수 있다. 생각만으로는 아무것도 할 수 없다. 무게만 불어날 뿐.

1그램도 안 되는 인생을 100톤의 무게로 불리고 불려 짊어지고 있을 필요는 없다. 단 한 사람에게 도움이 될 수 있다면 쓰면 된다. 나의 경험이 타인에게 도움이 될 수 있다면 안 쓸 이유가 또 뭔가!

출판지도사로서 출판의 과정이 녹록지 않다는 걸 안다. 여러 사람의 노고가 들어가고 특히, 영혼을 갈아 넣었을 작가의 노고는 이루 말할 수 없다. 몇 번의 퇴고 과정을 거치고 나면 당분간은 초고를 보고 싶지 않아진다는 것도 안다.

다만, 퇴고의 과정을 거치고 비로소 탈고를 마친 원고를 출판사에 넘길 때의 마음은 깃털같이 가볍다. 마치 1그램도 되지 않는 것처럼.

가볍게 시작했다. 그러나 뚜렷한 목적이 있었다. '출판지도사' 자격을 취득하고 바로 활동을 시작하겠다는 명확한 목표! 그러기 위해서는 출판지도사로서의 활동 계획을 세우고 알려야 했다.

출판은 이야기다. 따라서 많이 쓰고 말해야 한다. 사람을 만나고 듣고 써야 한다. 내 이야기부터 쏟아내고 토해내듯 써야 한다고 생각했다. 내가 먼저 해봐야 다른 사람을 지도할 수 있다. 그렇게 종이책, 전자책 가리지 않고 쓰기 시작한 지 3개월 만에 16권을 출간한 다작 작가가 되었다.

스토리에 빠진 출판지도사

　내가 하고 싶은 이야기를 쓸 것인가? 독자가 읽고 싶어 하는 이야기를 쓸 것인가? 나는 그 둘을 적당히 섞어 쓸 생각으로 여러 가지 주제를 나열하고 하나씩 목차를 써내려 가기 시작했다. 밥을 먹을 때, 화장실에 있을 때, 잠자리에 들 때, 설거지할 때를 가리지 않고 아이디어가 샘솟았다.

　작가가 되는 방법은 아주 간단하다. 많이 읽고, 생각하고, 쓰면 된다. 이야기에 빠진 출판지도사는 작가의 내면에 있는 생각을 끌어낼 줄 안다. 경험을 듣고 이야기를 기획할 줄 안다. 그리고 그 이야기가 세상에 나오게 하고야 만다.

　글을 쓰는 방법만 알려주는 사람이 있고 출간까지 마무리하는 스승이 있다. 누구와 함께 할 것인가? 출판지도사는 기획하고 쓰고 출간이 마무리될 때까지 함께 있어 주는 사람이다. 든든한 버팀목이자 경험자다.

먼저 길을 낸 사람들은 안다. 과정이 녹록지 않을수록 '같이'의 힘이 세진다는 것을. 작가의 꿈을 가진 사람은 자신의 이야기를 하고 싶어 한다. 경험을 글로 남기고 싶어 한다. 안타까운 것은, 방법을 몰라 이곳저곳을 기웃거린다는 것이다.

이제는 스토리에 빠진 출판지도사와 함께하면 된다. 이야기를 듣고 기획하고 교정, 교열, 디자인에서 책이 출간되기까지 함께 하는 그들이라면 당신의 이야기는 세상에 나와 긍정의 영향을 미치고 말 것이다.

출판지도사가 되어 여러 곳에 제안서를 제출했다. 문화센터, 대학교 평생교육원, 도서관, 농협에 이르기까지 담당 주무관을 미팅하고 8주 출판 프로젝트에 관해 설명했다. 아직은 공급이 부족한 이 분야가 블루오션이라는 걸 알게 되었다.

수요는 많은데 공급이 딸려 강사를 구하기 힘들다는 것이다. 한 작은 도서관 주무관은 예산이 많지 않아 모시기 죄송하다는 말을 덧붙이며 꼭 진행하고 싶다고 했다. 그런 분을 만나면 재능기부라도 해드리고 싶다.

출판에 희망을 품고 있는 사람이 많다는 것을 새삼 느낀다. 전문적으로 작가를 배출하는 사람은 있지만 출판까지 책임지는 사람은 드물다. 더군다나 5주에서 12주 사이에 종이책이 출판되는 경우도 아주 드물다.

책임감 있고 시스템이 있는 곳에서 기획부터 출판까지 하는 것이 답이다. 기획력 있고 경험이 많은 출판지도사와 함께 글을 쓰고 출판하는 게 답이다. 자신의 이야기를 쓰고 싶다면 망설일 필요 없다.

작가로 활동하고 경험을 쌓아 출판지도사가 되면 된다. 작가가 되는 건 쉽다. 자신의 이야기를 세상에 내놓을 1그램의 용기만 있다면 누구나 작가가 될 수 있다. 큰 기술이 필요하지 않다. 글 쓰는 방법은 1시간이면 충분히 배울 수 있다.

출판지도사는 이야기를 풀어내는 사람이다. 나의 이야기뿐 아니라 작가의 이야기를 풀어내는 사람, 출판지도사에 도전해 보라. 세상의 이야기기를 하나씩 끌어당겨 책에 담아내는 아름다운 일을 하는 사람이 바로 출판지도사다.

작가는 집을 짓는 사람이다. 자신의 집을 이야기로 짓는 사람. 집이라는 곳이 어떤 곳인가? 나와 가족을 담아낸 공간이며 지인을 초대하기도 하고 사람 속에서 이야기가 만들어지는 곳이다.

작가를 배출하는 사람이 출판지도사이고 이야기의 창조자이자, 책이라는 실물을 만들어내는 기술자이다. '무'에서 '유'를 만들어내는 진정한 장인, 출판지도사에 도전해 보길 바란다. 읽다 보면 쓰고 싶어지고 쓰다 보면 엮고 싶어진다.

엮다 보면 엮는 사람을 만들고 싶다. 함께 이야기를 나누고 같이 일하고 싶은 사람을 만나면 가진 걸 나누고 싶다. 내가 할 줄 아는 것을 하게 하고 싶다. 그래서 같은 곳을 바라보고 하나에 몰두하고 싶은 욕구가 생긴다.

제안서를 제출하기 위해 담당자나 주무관과 만나 이야기를 나누다 보면 의외를 말들이 오고 갈 때가 있다. 이상적인 이야기부터 실질적인 이야기까지 여러 가지 주제의 대화를 나눈다.

이미 같은 과정을 진행해 보았는데 보람되고 좋았다는 이야기, 실질적으로 진행해 보니 작가들이 제각각이라 힘들었다는 이야기, 생각보다 시간이 길어졌다는 이야기를 포함해서 길게 진행해도 좋다는 이야기로 마무리되었다.

지역 도서관에서는 특징적으로 밀고 있는 강좌가 있기 마련인데 내가 찾아간 한 곳이 책을 쓰는 창작의 과정을 개설하고 주력으로 추진하는 도서관이었다. 주로 60대 이상의 시니어를 대상으로 그림책을 만드는 과정을 진행했는데 작품 하나하나가 세월이 담겨 있는 위대한 작품이었다.

그런데 ISBN이 발급된 정식 도서가 아닌 제본 형태의 소장용 책이었다. 시중에 판매가 되지 않고 그 도서관에서만 읽을 수 있는 책이다. 아쉬움이 남았다. 다음 진행할 때는 공저 형식으로 정식 ISBN을 발급하고 유통되는 도서를 출간하자고 제안했다.

주무관은 따뜻한 봄이 오면 함께 진행해 보자고 했다. 책을 읽는 것에서 멈추지 않고 이야기를 책으로 엮는 일이 바로 출간이다. 작가를 포함해 많은 이들의 노고가 들어가는 것이 출간의 과정이다.

쓰는 경험이 많지 않은 60대 이상의 시니어라면 더욱 시간이 걸릴지 모를 일이다. 그림 없이 완전히 텍스트로만 이루어진 책 한 권을 오롯이 써내려 가는 일이 어떨지 상상하기 어려울 것이다.

그러나 걱정은 접어두고 우선 시작하길 바란다. 첫 점을 찍기가 어렵지, 나아가긴 어렵지 않다. 어렵다고 생각하고 머무는 순간이 괴롭지, 쉽다고 생각하고 이어가면 분명 쉬운 일이 된다. 어렵다고 생각하는 그 자체가 쉬운 일도 어렵게 만들어 버리는 유일한 이유다.

이야기에 빠진 작가와 출판지도사의 만남이 한 권의 책을 만들어낸다. 하나의 총체가 탄생하는 것이다. 이야기는 책이 되고 책은 독자의 이야기를 끌어낸다. 따라서 독자는 작가가 된다. 자신의 이야기를 세상에 내놓을 용기가 있는 독자라면 말이다.

시크릿 스위치를 가진 출판지도사

출판지도사는 숨겨진 버튼을 가지고 있다. '없음'에서 '있음'으로 바꾸는 버튼이다. '생각'에서 '현실'로 바꾸는 버튼이다. 그래서 출판지도사는 실행력이 높고 빠르다. 8주 만에 책이 세상에 나오는 일은 마술과도 같은 일이다.

초고는 쓰레기다. 누구나 처음이 있듯이 모든 초고는 어설플 수밖에 없다. 퇴고의 과정이 필수인 이유가 여기에 있다. 초고만 나온다면 책의 70%는 완성됐다고 봐도 된다. 다음부터는 보고 읽고 또 읽어보며 쓰레기가 작품이 되는 일만 남았다.

초고 없는 책은 없다. 다른 것이 다 빠져도 초고는 있어야 책이 만들어진다. 그래서 무조건 써야 한다. 책을 쓰는 과정은 육아와 닮아있다. 처음에는 내 아이에 대해 모른다. 이제 막 태어난 아이에 대해 무엇을 알 수 있겠는가?

상식적인 이야기를 하자는 것이 아니다. 누구나 처음은 있다. 육아의 경험이 있는 부모라 할지라도 지금 태어난 아이의 육아는 이제 처음 시작되는 것이다. 육아는 살핌이고 관찰이다. 아이가 스스로 걷고 먹을 수 있을 때까지 온전히 부모의 힘으로 키워내야 한다.

그것이 바로 초고를 쓰는 과정이다. 온전히 작가의 힘으로 잉태하고 출산하고 키워내야 한다. 그것이 기획하고 주제를 정하고 목차와 초고를 쓰는 과정이다. 다음은 각자의 위치에서 자신의 역할을 해내고 있는 사람들과 협업하여 날개를 달고 날아가게 하면 된다.

한 사람이 태어나고 생명을 잉태하기까지의 이야기만으로도 무궁무진한 에피소드가 있다. 어떻게 태어나고 자랐는지에 따라 철학과 신념이 결정된다. 그 철학과 신념은 아이를 양육할 때 가장 크게 발휘되고 아이는 그대로 하나의 인격체가 된다.

아이가 세상과 만날 때 가장 먼저 접하는 사람이 엄마이고, 가장 작은 단위의 인간관계가 시작되는 것이다. 주 양육자가 어떤 신념과 철학을 가졌느냐에 따라 아이가 어떤 사람으로 자랄지가 결정된다고 해도 과언이 아니다.

육아를 어떤 관점으로 보느냐에 따라 노동이 될 수도 있고, 자기계발이 될 수도 있다. 육아에 의미 부여를 어떻게 하느냐에 따라 부모와 아이의 삶이 결정된다. 따라서 삶에 첫 메신저인 부모가 삶을 통째로 돌아볼 수 있는 책쓰기를 통해서 삶의 진정한 의미를 찾아보길 바란다.

우리는 부모가 되기 위해 일련의 교육 과정을 수료하거나 자격증을 취득하지 않는다. 그런데 부모가 된다는 것은 내가 아닌 타인의 인생이 오롯이 나에게 온다는 뜻이다. 그 인생을 좌지우지할 수 있는 인생 초반의 강력한 메신저가 되는 것이다.

그렇다면 적어도 어떻게 하면 올곧은 부모가 될 수 있을까, 어떻게 하면 나도 아이도 올바르게 성장할 수 있을까를 고민해봐야 하고, 그 고민의 방법으로 책쓰기를 적극 추천한다.

책을 쓴다는 것은 인생을 통째로 돌아본다는 뜻이다. 쓰다 보면 생각이 담기고, 그러는 사이에 과거가 찾아온다. 그러다 보면 인생이 오롯이 글에 담긴다. 책을 쓴다는 것은 육아와 참 많은 것이 닮아있다.

살아온 발자취와 지금이 이어지다 보면 내 아이가 어떻게 자라고 어떤 사람이 되었으면 하는지 가닥이 보이기 시작한다. 그래서 내가 어떤 메신저가 되어 어떤 이야기를 해주어야 할지 알게 된다.

기억하라. 아이가 처음 만나는 메신저는 바로 당신이다. 당신의 이야기로 기록물을 남겨라. 당신이 원하는 대로 아이가 자라고 생각하는 대로 삶이 살아진다. 지금 죽음을 결심한 사람이 우연히 당신의 책을 읽고 살아날 힘을 얻는다면 어떨 것 같은가?

그것이 바로 책의 힘이다. 출판지도사는 비밀 버튼을 가진 사람들이다. 살아낼 힘을 주는 버튼, 인생이 소중하다는 깨달음을 주는 버튼, 1그램도 되지 않는 하찮은 인생 같아 보여도 그 속에 거인이 숨 쉬고 있다는 것을 알게 해주는 버튼!

한 사람 한 사람 만날 때마다 버튼을 누른다. 이 인생에는 뭐가 담겨 있을까? 책을 쓰는 의미를 알아내고 책 속에 인생을 담아낼 수 있도록 진심을 담아 버튼을 누른다. 시크릿 스위치를 가진 출판지도사로서 출판의 꿈을 가진 당신에게 혼을 담아 도움을 줄 것을 약속한다.

이영미

작가, 강사

010. 9716. 2314 dra001@gmail.com

학력

한양대학교 물리학과 학사, 석사

Business Management Certificate,

UC San Diego Extension

한국방송통신대학교 일본학 학사

일본언어문화학 석사

강의 경력

기업체 : 삼성전자 DS부문, 세메스

저서

「돈이 되는 퍼스널 브랜딩

 이제는 우리가 주인공」

「알면 다르게 보이는 일본 문화 5권」

독자라는 알을 깨고 나와
출판지도사가 되다

"우연히 다가오는 행운은 없다.
운이란 준비와 기회의 만남이다."
- 이동규 〈생각의 지문〉 -

줄탁동시

啐 (빠는 소리 줄) 啄 (쫄 탁) 同 (같을 동) 時 (때 시)

달걀이 부화할 때 병아리 혼자 힘으로 알을 깨서 밖으로 나오는 것도, 어미 닭이 밖에서 껍질을 부수어 병아리가 나오는 것도 아니다. 병아리와 어미 닭이 안과 밖에서 동시에 쪼아 병아리가 나오는 것이다. 이것을 '줄탁동시'라고 한다. 즉, 어미 닭이 알을 품고 있다가 부화 때가 되면, 병아리가 안에서 껍질을 부리로 쪼게 되는데 이 것을 '줄'이라 하고, 어미 닭이 그 소리에 반응해서 바깥에서 껍질을 쪼는 것을 '탁' 이라 한다.

출판지도사 자격증 과정이 내게 그랬다.

좋아하는 '책'으로 돈을 벌고 싶다고 생각하였으나, 어디서부터 시작해야 할지 어떻게 발전시킬 수 있는지 그리고 어떻게 수익화로 연결할지 몰라 하염없이 책 읽기로 먹고살기, 글쓰기 수익화, 독서 모임 등으로 검색만 하고 있던 어느 날 오픈 채팅방과 블로그를 통해 '출판지도사 자격증'이라는 단어를 발견하였다.

자격증을 취득하고 출판지도사가 되면 '책'의 A부터 Z까지 할 수 있고 내 책을 쓰고 싶은 이들을 도와 출판까지 할 수 있고, 나와 같이 출판지도사가 되고 싶은 이들도 양성할 수 있다. 딱 내가 찾아 헤매던 그것이었다.

좋아하는 일로 신나게 돈을 벌고 싶다고 생각하고 잘 다니던 회사를 계획 없이 그만두었다. 무엇을 해야 할지 어디서부터 시작해야 할지 몰라 고민하고 방황하던 시기에 운명처럼 눈앞에 나타난 것이 바로 한국지식문화원에서 주관하는 출판지도사 자격증 과정이었다. 그리고 같은 기간 개설된 퍼스널 브랜딩 공저 수업까지. 이들은 회사와 집밖에 없는 것처럼 살던 병아리의 처지였던 나에게 마치 기다리고 있었던 것처럼 어미 닭이 되어준 것이다. 수업 자체도 내게 새로운 세상을 보여주었지만, 같이 수업을 들은 동기들의 응원과 지지 덕분에 자격증 과정을 무사히 끝냈다. 출판지도사 자격증을 딴 덕분에 지난 20년간 평범한 회사원이었던 내가 전문 강사라는 제2의 직업을 시작할 수 있었고, 지금 이렇게 내 생에 두 번째 책을 쓰고 있다.

알을 깨고 나오다

　바야흐로 100세 시대, 더 나이 들기 전에 내가 잘하는 것을 처음부터 직접 다 하고 싶다는 생각에 잘 다니던 회사를 그만두었다. 많은 이들이 재직 중에 준비를 마치고 회사를 나와야 한다고들 하지만, 그런 여유는 생각도 못 할 정도로 바빴었기 때문에 일단은 회사를 그만두고 쉬는 동안 생각하기로 했다. 시간은 많아졌지만 내가 잘하는 것이 무엇이고 좋아하는 것이 무엇인지 모르겠다는 벽에 부딪혔다.

　회사 생활을 해 본 이는 알겠지만, 대부분의 일이 처음부터 끝까지 혼자 할 수 있는 일은 제한적이다. 담당하여 오래 했던 일도 전체가 아닌 일부분이기 때문에 내가 하지 않는 분야는 알 수가 없다. 조직을 벗어나면 소위 말하는 '주특기 혹은 전공'이라는 것을 알기가 쉽지 않다. 또한 나의 적성이나 내가 좋아하는지를 고려하여 일을 지속 한 것이 아니라 실적을 위해 주어진 일을 해 왔기 때문에 잘하는 것은 무엇인지, 좋아하는 것은 무엇인지 모르는 것은 당연하다고 해도 과언이 아닐 것이다.

여러 날을 고민한 끝에 좋아하는 것을 우선 시작해 보자고 결론을 내렸다. 그렇다면 좋아하는 것은 어떻게 찾는가? 방법을 고민하다가 결론을 내렸다. 지금까지 질리지 않고 계속하고 있는 것, 집중하는 시간 동안에는 나 자신으로 돌아오는 것, 그리고 남들은 이미 이것으로 돈을 벌고 있는 것. 이렇게 3가지 조건이 다 맞는 것을 종이에 써보니 결국 세 가지로 좁혀졌다. 책, 쓰기, 그리고 나누기. 이들을 어떻게 엮어야 직업이 될까? 어디서부터 알아보고 시작해야 할까? 이런 고민을 할 때 한국지식문화원에서 주관하는 출판지도사 자격증 과정을 만났다.

책

책을 좋아한다. 20년 전 어머니가 사주신 옷을 아직도 입을 정도로 물욕이 없지만 책에 대해서만은 예외다. 다른 이들이 쇼핑과 먹는 것으로 스트레스를 풀 때 나는 서점에 가서 책을 산다. 바쁜 와중이든 여유가 있는 때든 온전히 조용히 나만의 시간을 보내고 싶을 때는 서점으로 발길을 옮긴다. 읽기도 좋아한다. 검사해 보지는 않았지만 스스로 활자중독인가 의심할 때도 있을 정도로 매 순간 눈으로 글자를 찾는다.

이런 나였지만 출판의 세계는 미지였다. 출판지도사 자격증 과정 커리큘럼을 보는 순간 나는 과거의 나를 반성할 수밖에 없었다. 독자로 몇십 년을 책에 빠져 지냈지만, 결과물만 보고 있었을 뿐 과정은 전혀 모르고 있었다. 회사를 그만두고 어느 정도 시간이 지난 상태여서 현금흐름이 어려운 때였음에도 아르바이트하기로 마음먹고 무작정 등록하였다. 또한 같은 기간 개설된 퍼스널 브랜딩 공저 수업을 함께 등록했다. 책을 써보지도 않고 출판을 지도할 수는 없지 않은가 하는 생각이었다. 그런데 결과적으로는 이 둘을 함께 수강한 덕분에 글감을 정하기부터 책쓰기, 그리고 책이 나와 유통되기까지의 과정을 모두 경험할 수 있었다.

쓰기

첫 번째 출간 도서

주변에서는 물론이고 나 자신도 스스로 여러 해 동안 질문한 것이 바로 글쓰기였다. 인풋(Input, 독서) 양으로 보면 아웃풋(Output, 산출물)이 있어야 하는데 언제쯤 나올 것인가? 인풋은 이미 수십 년을 지속하고 있는데 남에게 보여줄 수 있는 정제된 양식의 아웃풋은 아직 없다.

글을 써 본 사람은 알겠지만, 글쓰기는 매우 어려운 일이다. 책쓰기는 주제가 있고 독자가 있고 형식을 맞추어야 하고 마감일이 정해져 있는 장문의 글쓰기이다.

출판지도사 자격증 과정을 지도해주신 한국지식문화원의 권경민 대표님은 베스트셀러 3권을 포함하여 16권의 책을 쓰신 전문 작가이기도 하다. 자신의 여러 경험과 노하우를 아낌없이 공유해주셨다. 덕분에 책쓰기라는 어려운 첫 발걸음을 쉽게 내디딜 수 있었다. 그렇게 나온 첫 번째 도서가 그림1의 「돈이 되는 퍼스널 브랜딩 이제는 우리가 주인공」이다. 이러한 나의 경험뿐 아니라 권경민 대표께서 공유해주신 여러 노하우도 책쓰기 강의를 할 때 나의 수강생들에게 전달될 것이다.

나누기

출판지도사 자격증은 한국직업능력연구원에 등록되어 있고, 문화체육관광부가 관리하며, 한국지식문화원에서 발행한다. 출판지도사 자격증을 소지하면 책쓰기부터 출판 및 유통까지 모든 단계를 지도할 수 있다. 상세히 풀어서 보자면 책쓰기 코칭, 공저 프로젝트 진행, 책쓰기 강의, 전자책 출판 대행, 종이책 출판 대행, 독립출판사 운영, 출판지도사 자격증 과정 등 책과 관련된 모든 것에 대해 코칭이나 강의를 할 수 있는 자격증이다.

공저 출판과 출판지도사 자격증 과정을 다 수료하고 처음 책의 주제를 정하는 것부터 출판 이후 유통과 수익까지의 구조를 다 알게 되었다. 처음 글감 찾기 단계부터 전자책이든 종이책이든 만들어지는 과정, 그리고 1인 출판사를 만드는 것까지 어떤 단계든 질문에 답을 할 수 있다. 실제로 자격증 취득과 첫 번째 책의 출간을 주변에 알린 후 몇몇 지인들이 전문적인 조언을 요청해 왔다.

여러 해 알고 지낸 지인이다. 일생에 한 번 출판을 꿈꾸며 오랫동안 써 놓은 원고가 있다며 출판 과정을 문의했다. 써 놓은 원고는 문득 스치는 생각들을 정리한 것이었다. 이미 출간된 도서에서 수집한 문장, 온라인 강연 등에서 발췌하여 인용한 부분도 있었다. 직접 찍은 사진도 추가할 예정이다. 판매를 위한 것이 아니기 때문에 비용과 기간 등을 고려하여 전자책 출판을 원했다.

출판지도사로서 퇴고 과정과 교정, 교열 등의 출판사에서 진행하는 내용들에 관해 설명하고 전자책 출판에 대해 알려드렸다. 또한 책쓰기 강사 입장에서는 크게 두 가지 조언을 했다. 우선 저작권 문제이다. 이 경우 인용한 도서 및 강연 내용에 대해 저작권에 침해 여부를 알아봐야 한다. 그리고 혹시 이후에라도 종이책으로 출간하려면 삽입하고자 하는 사진이 인쇄 후에도 선명한지 해상도를 확인해야 한다. 디지털 기기에서 그림이나 사진이 선명하게 보이더라도 종이에 인쇄하게 되면 선명하지 않은 경우가 있다. 최소 300dpi가 되어야 인쇄 후 문제가 없다. dpi란 해상도를 나타내는 용어 중 하나로 실제 인쇄물 크기 1인치 당 들어가는 점 개수를 나타낸다.

또 다른 지인은 직무교육을 담당하는 사내 강사이다. 교재로 사용하고 있는 책이 강의 내용과 다른 부분이 많아 강의에 어려움이 있어 교재를 새로 만들고 싶다고 한다. 회사를 설득해야 하는 일이라 비용과 기간에 대한 문의가 있었고, 출판사 기획출판과 자비출판에 관해 설명해 주었다.

강사님이 되다

출판지도사 자격증을 받자마자 바로 전문 강사 명함을 만들었다. 출판지도사 자격증은 바로 활용할 수 있고 수익화로 연결할 수 있으므로 경험이 없다고 계속 미룰 수는 없었다. 한국지식문화원에서 소속 강사로 명함을 만들어주셨다. 책쓰기 강의를 하면 결국 출판을 해야 하는데 전자책이든 종이책이든 출판사를 통해야 한다. 출판지도사 자격증 과정을 지도해주신 한국지식문화원 권경민 대표라는 커다란 사업 동반자가 있어 이런 걱정은 하지 않아도 된다.

명함이 나오자마자 나를 알리고 기회를 잡는 것이 최우선이라고 생각했다. 시기가 마침 연말이라 모임이 꽤 있었기에 기회를 확보할 수 있었다. 만나는 사람마다 전문 강사 자격증과 나의 강한 의지가 있음을 알렸다. 가능한 1:1로 진지하게 이야기할 수 있는 시간을 할애하여 적극적으로 인사 부서 혹은 지인들에게 홍보해달라고 명함을 한 장이 아닌 두세 장을 건넸다.

한 달 정도 지나니 연락이 오기 시작했다. 가장 먼저 연락을 주신 분은 도서관에서 사서로 일하고 계신다. 도서관 문화강좌 게시판 링크를 주셨다. 현재 개설된 강의를 훑어보며 먼저 마감이 되는 인기 강의의 동향을 파악할 수 있고, 강의 제안을 할 수 있는 공간도 있었다. 도서관 강의를 할 경우 지속해서 활용할 수 있을 것 같아 감사했다. 앞으로 어떤 기회를 만들 수 있을지 기대된다.

또 다른 지인은 새로 옮기는 회사에서 직원들을 위한 자기 계발 및 커리어 계발 강의를 개설하고 싶다고 도와달라고 하셨다. 지금 당장은 아니고 본인이 새 회사에서 자리를 잡은 후가 될 거라고 한다. 출판지도사를 통해 바뀌게 된 내 경험을 나누고 싶다. 어디까지 내 역량을 펼칠 수 있을지 벌써부터 설렌다.

이전 회사 동료로부터 연락이 왔다. 내년 교육과정 개편을 위해 설문조사를 할 때 인사담당자에게 내가 이전에 건넸던 명함을 전달하였는데 강사 소개서와 강의 제안서를 요청했다. 주변인에 명함을 건넬 때 가장 강조했던 것이 전문 강사였다. 내용과 상관없이 강의 기회를 먼저 확보하기 위해서이다.

"강사 소개서와 강의 제안서라니. 지금까지 그런 건 본 적도 없고 만들어본 적도 없었는데…."라고 걱정부터 할 거 같지만 사실은 몇 시간 만에 뚝딱 작성하여 보냈다. 속도와 내용에 지인이 놀란 것은 말할 것도 없다. 어떻게 그럴 수 있었을까?

출판지도사 자격증 과정 중에 강사 소개서와 강의 제안서 작성이 있다. 권경민 대표께서 모든 자료를 하나씩 보면서 풍부한 경험을 바탕으로 조언을 주셨고, 동기생들의 의견 또한 더해져서 강사 입장에서 홍보용이 아닌 교육담당자 입장에서 관심을 가질 만한 자료를 만들어 볼 수 있었다. 실습과 피드백이 있는 알찬 수업이었다.

출판지도사 자격증 과정에서는 대체 무엇을 배우는가? 앞서 언급한 바와 같이 글쓰기부터 출판 및 유통까지 모든 단계를 지도할 수 있을 정도의 내용을 배운다. 코칭과 강의를 위한 실무도 배우는데 이때 배우는 것이 강의 제안서, 강의 섭외, 수강생 관리, 강의 운영, 홍보 방법 등 발행처인 한국지식문화원이 축적한 모든 노하우를 배운다.

강의 제안서를 전달한 이후 2~3일간은 피 말리는 시간이었지만, 4일째가 되니 이미 내 손을 떠났다는 생각에 마음이 놓이며 강의하는 내 모습을 상상하였다. 2주가 지난 뒤 지인으로부터 연락이 왔다. 해당 부서에서 수요가 없다고 한다. 첫술이 배부르랴. 그러나 다른 부서에 필요한지 문의해 보겠다는 의견도 함께였다. 이것도 경험이라 생각하니 다른 곳에도 적극적으로 강의 제안서를 보내야겠다는 초심의 자세로 돌아왔다.

그로부터 2주 뒤 '*이영미 강사님께*'로 시작하는 이메일을 받았다. 다른 부서에서 내 강의 주제가 마음에 드는데 통화를 하고 싶다는 것이다. 중요한 것은 이메일의 가장 첫 줄의 호칭이었다. 강사님이라는 호칭이 생소했지만 앞으로 익숙해질 것이다. 드디어 바라던 강사님이 되었다. 2회 정도 시범강의를 해보고 반응이 좋으면 앞으로 자신들의 교육 과정에 정식으로 추가하겠다고 한다.

지금은 강의 자료를 만들고 있다. 신이 난다. 이 기회가 바로 수입으로 연결되지는 않겠지만 첫 번째 기회이니만큼 잘하고 싶고 잘 되었으면 하는 바람이 크다. 출판지도사 자격증 과정을 수강하지 않았다면 없었을 기회다. 자격증 취득 이후 기회가 늘어나고 있다. 지금까지 독서지도사를 포함하여 여러 자격증을 취득하였지만, 바로 활용할 수 있고 향후 수익화까지 연결되는 자격증은 출판지도사뿐이다.

아무 일도 하지 않으면
아무 일도 일어나지 않는다

줄탁동시로 다시 돌아가 보자.

만약 어미 닭이 병아리의 수고를 덜어주려고 혼자 다 깨뜨려버리면 어떻게 될까? 스스로 해결해야 하는 숙제를 누가 대신 해줘 버리면 그걸 헤쳐 나갈 힘을 상실하게 된다. 하지만 아직 부리가 여물지도 않은 병아리 혼자의 힘만으로 그 단단한 달걀 껍데기를 깨는 것은 역부족이다. 어미 닭의 도움이 필요하다. 그래서 어미 닭은 새끼가 두드리는 것을 봐가면서 알 밖에서 조금씩 깨면서 지원한다. 이런 과정을 통해서 마침내 예쁜 병아리가 세상에 나오게 된다.

좋아하는 일이 책과 관련된 것인가? 그렇다면 출판지도사 과정을 적극 추천한다. 좋아하는 것으로 돈을 벌면 더 이상 좋아하지 않게 된다

고들 하는데 즐기면서 할 수 있는 일도 있다. 책을 좋아한다면 인풋은 이미 충분할 것이다. 아웃풋은 책쓰기만 있는 것이 아니다. 책 읽기, 책쓰기, 책 출판, 책 유통 등 모든 과정에 참여할 수 있다. 또한 이러한 모든 것을 나눌 수 있는 강사로도 활동할 수 있다. 좋아하는 일을 즐기면서 돈도 벌 수 있다면 금상첨화가 아닌가.

정 솜 결

정솜결꿈성장 연구소 대표, 인생 디자이너 작가
010. 3636. 2348 sjjung1028@naver.com

5060 엄마들의 경력단절로 세상 밖 소통 어려움을
책 쓰기와 출판 지도사 교육을 통해 인생 2막을
도와주는 작가로 활동하고 있다.

한국지식문화원 대표 출판지도사
한국지식문화원 대표 강사, 작가

저서
「글쓰기를 시작합니다」
「삶을 변화시키는 작지만 위대한 책 쓰기」

인생 2막. 50대 블로거에서
출판지도사로

"자극과 반응 사이에는 공간이 있다.
그리고 그 공간에서의 선택이 삶의 질을 결정한다."
- 빅터 프랭클린 -

첫 글쓰기 블로그

50이 되어 돈 공부를 시작했다. 거창하게 돈 공부라고 해서 돈이 많아서 시작한 것은 아니다. 5년 후 남편의 은퇴를 생각하니 망막했다. 30년 이상 한 가정의 가장으로 성실히 살아온 남편에게 미안했다. 작은 부자는 한 푼 두 푼 돈을 모으면 되는 줄 알았다. 그렇게 살았다. 내 삶은 시간이 흘러 노후에는 돈 걱정 없이 살아갈 수 있으리라 믿었다. 먹고 싶은 것 사고 싶은 것을 아끼면서 모으는 것이 잘한 거라는 친정엄마의 모습을 보며 따라 했다.

현실은 임대아파트에서 매달 돈 가져가는 카드 명세서만 사물함에 쌓여있다. 코로나 이후 온라인에서 다양한 강의도 배웠다. 그 속에서 놀라운 것을 알게 되었다. 온라인에서 돈을 벌 수 있는 거다. 나도 할 수 있을까? 부러움 반, 걱정 반으로 시작했다. 온라인에서의 자신을 알리는 것은 블로그라고 했다.

"온라인에서 돈 벌고 싶으면 블로그를 시작하셔요." 온라인에서 돈을 벌고 있는 유라 씨 한마디가 와닿았다. 그날부터 시작했다. 글을 어떻게 쓰지라는 걱정보다 블로그는 글을 쓰고 발행만 했다. 블로그로 발행하면 내 글을 볼 수 있는 이웃, 서로 이웃이 있다. 나에게는 20명의 이웃이 있다. 어떻게 이웃이 생겼는지조차 몰랐다. 글을 쓰는 것도 2시간이 걸렸다. 2시간 동안 글도 거창하지 않다. 나를 소개한 글 두 줄, 오늘 날씨에 대한 글 한 줄 이렇게 써 내려갔다. 이글도 머리를 쥐어짜며 했다. 마지막 발행을 누르면 하루 글은 완성이다. 막상 발행을 누르지 못해 하루를 지나기도 했다.

할까 말까 망설이면 그냥 해야겠다고 마음을 먹으며 글을 발행했다. 글이 점점 쌓이며 댓글도 달렸다. "어머! 저랑 같은 나이네요." "공감되네요." 등 힘이 되는 글이 남겨졌다. 시간이 지나면서 글 쓰는 자신감 생겨났다. 집 안에 있으며 무기력하고 웃는 일이 없었는데 댓글의 소통으로 혼자서 미소 짓는 날이 많아졌다.

가족을 이해해줄 수 있는 최고의 선물은 자기 자신을 좋아하고 자신을 가치 있는 사람이라고 생각하는 것이다. 브라이언 트레이시의 글처럼 블로그를 쓰고 댓글로 소통하면서 하루의 삶이 행복해졌다. 그런 내 모습에 남편은 종종 자네 요즘 기분이 좋아 보인다고 하는 말을 했다.

블로그를 1년 동안 꾸준히 하면서 온라인에서 블로그 강사로 활동했다. 막연하게 온라인에서 돈을 벌고 싶다. 생각하고 시작했던 블로그가 나의 돈 버는 도구가 되었다. 온라인에서 활동하다 보니 만나는 사람이 바뀌었다. 직접 만나지는 않았지만, 전화로 카톡으로 친구가 되었다.

그 사람을 알아보기 위해서는 살아온 과거를 보면 된다.

온라인에서의 과거를 찾을 수 있는 것은 상대의 블로그이다. 친분이 있는 미연 씨의 블로그를 구경하러 갔다. 갑자기 내 눈이 커지면서 멈칫했다. 블로그 소개 글의 작가라는 타이틀이 보였다. 미연 씨가 책을 출간한 작가라는 것보다 부러움이 컸다. 그 순간 어릴 적 꿈이 튀어나왔다. '나도 글을 쓰고 싶다.' 어릴 적은 하고 싶은 것도 많고 할 수 있다는 자신감도 가득했다.

어느 순간 현실의 삶에 아등바등 살다 보니 내 꿈을 잊어버렸다. 친구 따라 강남 간다는 속담처럼 미연 씨가 책을 썼다면 나도 해보자, 무식한 용기도 생겼다.

"아직 임신 안 했어?" 신혼여행을 다녀와서 한 달 후 남편의 물음에 웃음이 나왔다. 남편은 남녀가 결혼하면 바로 아이를 갖는 줄 알았다고 한다. 32살 나이에 주변 친구들은 20살 후반에 결혼하고 자녀가 있는 것에 초조했다고 한다. 이렇게 한 생명이 만들어지고 탄생하는 과정도 막연하게 생각한 대로 되지 않는다. 글 쓰는 것도 마찬가지다. '나도 글을 쓰고 출간을 해서 작가 되자!'라고 외치고 글을 쓴다고 뚝 책이 나오는 것이 아니다.

글을 쓴다는 것은 혼자 하는 영역이라 쉽게 도전했다. 막연한 글쓰기는 머릿속만 더욱 복잡하게 만들었다. 글쓰기도 전략과 시스템이 필요하다. 인디언속담도 혼자 가면 빨리 가고 함께 가면 멀리 간다고 했다.

출판지도사 자격증,
새로운 도전의 시작

　블로그로 글쓰기 근육이 단단해진 줄 알았다. 블로그에서 글을 쓰는 것은 주제에 맞는 글과 이미지, 영상을 첨부했다. 어떤 글은 글보다 이미지가 많을 때도 있다. 자극과 반응 사이에는 공간이 있다. 그리고 그 공간에서의 선택이 삶의 질을 결정한다. 빅터 프랭클린 글처럼 새로운 삶을 꿈꾸게 되었다. '그래 이번에 개인 책을 써볼까?' 내 삶에 작가라는 명함을 선물해주고 싶었다. 성공한 사람이 책을 쓰는 것이 아니라 책을 쓰면 성공한다는 말을 어느 글쓰기 강의에서 들었다.

　책을 쓰면 인생의 변화가 생긴다고 한다. 인생의 변화가 생기는 과정을 나열해 본다.

　첫 번째. 책을 쓰기 위해서는 그 분야의 책을 최소 10권에서 100권을 읽는다.

두 번째, 많은 책을 읽다 보면 자연스럽게 전문가가 된다.
세 번째, 책을 쓴다.
네 번째, 그 분야의 전문가가 된다.

네 가지의 방법대로 한다면 책을 쓰고 작가의 명함을 얻을 수 있다. 알면서도 책을 쓰기는 쉽지 않다. 나 또한 혼자서 책을 쓰려고 노트북을 켜고 키보드 위에 손가락만 올려놓은 시간이 2년이 흘렀다.

이러다 한 줄의 글도 쓰지 못하겠다 스스로 자괴감을 가지고 있었다. '안 되겠다. 책을 쓸 수 있는 환경을 만들자.' 생각하고 찾고 있을 때 출판지도사 자격취득 과정 수업을 알게 되었다. 오프라 윈프리의 세상 모든 일은 여러분이 무엇을 생각하느냐에 따라 일어난다는 말처럼 원하는 환경을 만들었다.

출판지도사 자격증 과정은 글쓰기, 출판, 책쓰기, 코칭, 출판사 설립 등을 5주 과정으로 배웠다.

온라인으로 진행된 강의는 책을 낸 작가, 강사, 오픈톡방 대표 등 다양한 직업을 가지고 있었다. 인생 2막 출판지도사로 삶을 살아가기 위해 배움을 함께 했다.

글쓰기 수업은 몇 번의 유료 수업을 들었지만, 책 출판이 어떻게 이루어지는지 알지 못했다.

출판지도사 자격취득으로 전문가 입증은 다음과 같다.

첫 번째, 출판지도사 자격증은 출판업무에 필요한 전문적인 지식과 기술을 갖춘 사람을 인증하는 자격증이다. 물론 출판업계에서 근무하거나 출판에 관심이 있는 분들에게 유용한 자격증이다.

두 번째, 출판지도사 자격증의 필기시험은 출판의 이론적인 내용을 중심으로 출제된다. 출판의 역사, 저작권법, 편집 및 편집자료 관리, 출판매체의 종류와 특성 등에 대한 지식을 평가한다.

세 번째, 출판지도사 자격증을 취득하면 출판 분야에서의 경쟁력이 크게 향상된다. 출판사나 편집사 등에서 출판지도사 자격증을 보유한 인력을 선호하는 경우가 많으며, 출판업무에 대한 실무 경험이 부족한 경우에도 자격증을 통해 전문성을 입증할 수 있다.

마지막으로 문화센터, 평생교육원, 도서관 등 책쓰기 관련 강사 전문가로 입증할 수 있다.

출판지도사 수업은 출판 과정으로 끝나지 않았다. 강사로서 필요한 강의 제안서도 만들었다. 처음 작성한 강의 제안서는 나를 작가, 강사, 출판지도사로 소개하는 미래의 나를 만나게 했다. 5주의 과정이 끝나고 자격증이 도착한 날 내 인생 새롭게 시작해 주는 설렘을 맛보았다.

설렘은 새로운 인생을 기다리게 한다. 출판지도사로서 내 삶에 대한 기대감도 있지만, 책을 쓰고 함께할 또 다른 인생이 기다려진다.

인생 스토리를 엮어주는
출판지도사

'버킷리스트(Bucket List)'라는 말이 있다. 죽기 전에 꼭 한 번쯤은 해보고 싶은 것을 정리한 목록을 의미한다. 예를 들어, 세계 최고봉 에베레스트 정복하기, 남극 땅 밟아 보기, 일본 가서 가이세키 요리 맛보기, 태국 치앙마이에서 한 달 살아보기 등과 같이 평소에는 접하기 어려운 소중한 경험을 꼭 한번 이루어 보자는 긍정적인 의미로 주로 사용된다. 누구나 자신만의 버킷리스트가 있고, 사람에 따라서는 100개가 넘는 소원들을 버킷리스트에 담기도 한다. 이러한 버킷리스트 속에 자주 등장하는 것 중 하나로 이른바 '죽기 전에 내 책쓰기'가 있다. 이글은 법률신문에서 가져온 거다.

어쩌면 모든 사람에게 책쓰기는 인생의 꿈일 수도 있다. 다른 사람의 꿈을 이루게 해줄 수 있는 직업이 있다면 얼마나 설레지 않겠는가?

지금 내가 가지고 있는 출판지도사 자격증이 바로 다른 사람의 꿈을 이루게 해주는 마법 램프이다.

지난해 만난 현미 샘은 60세에 꼭 해보고 싶은 것이 있다고 했다. 현미 샘은 청소년 상담 일을 하면서 알게 된 상담사이다.

"솜결샘! 나는 60이 되면 내 이야기를 책을 쓰고 싶어."

현미 샘이 책을 쓰고 싶다는 소원은 굳이 먼 미래에 쓸 수 있는 것이 아니다. 지금 당장 쓸 수 있다. 단지 어떻게 글을 써야 하는지 방법을 몰라서일 뿐이다.

최근에 평범한 사람이 책을 쓰는 경우가 점점 늘어나고 있다. "지금은 일해야 해." "은퇴하고 차분하게 쓸게요." "내가 글을 쓸 수 있을까?" 이렇게 시간을 미루고 용기를 갖지 않는다면 책을 쓸 수 없다. 미술을 배우고 싶다면 미술학원에 등록하면 된다. 피아노를 치고 싶다면 피아노학원을 등록하면 된다. 책을 내고 싶다면 책을 낼 수 있도록 해주는 출판지도사 자격증이 있는 전문가를 만나면 된다.

50대 이상 중·고령자의 여가 활동 1순위를 기준으로 중·고령자가 가장 많이 하는 여가 활동은 'TV 시청'(주중 77.1%, 주말 73.0%)이었다. 주로 집에서 거의 매일 3~4시간가량 TV 시청 등을 한 것으로 조사됐다.

여가 활동 참여에 방해되는 가장 주된 요인은 '경제적 부담'(25.2%)

이었고, 다음으로 '시간 부족'(17.9%), '여가 정보 및 프로그램 부족'(17.8%), '체력·건강이 좋지 않아서'(13.2%), '여가시설 부족'(12.2%) 등의 순이었다. (서울=연합뉴스 2024-01-10) 이렇듯 고령자들이 가장 두려워하는 삶이 경제적 활동을 할 수 없는 거다. 앞글에서 말했듯이 나 또한 돈 공부를 하고 있다. 남편 은퇴 후의 불안으로 시작했지만 60이 넘어도 사회활동을 하지 못할 수 있는 두려움에 시작했다.

출판지도사 자격증을 취득 전과 취득 후의 생각이 바뀌었다. 나 스스로 책쓰기 전문가 포지션을 만들어 놓았다는 안도감에 나이 듦에 대한 두려움이 사라졌다. 책을 출간하기를 원하는 사람들이 많기에 출판지도사를 원하는 곳은 많다. 더구나 온라인 강의도, 오프라인 강의도 가능하다.

50대 나이로 오프라인에서 나이가 많다는 이유로 면접을 볼 때마다 떨어졌다. 책을 쓰고 출판지도사 자격증을 취득하면서 나 스스로 나이가 듦에 흥분이 된다. 시간이 갈수록 글 쓰는 능력은 향상할 것이며 도서관, 평생교육관 강의하면서 출판지도사 전문가로 변모할 것이다. 더욱이 정솜결꿈성장방 오픈톡방을 운영하며 온라인에서도 주부, 시니어 등에 책쓰기와 책 출간의 기쁨을 주는 인생 스토리 출판지도사로 살아갈 삶을 생각하니 흥분된다.

나는 앞으로 50대 전업주부에게 새로운 삶의 기회를 선사할 인생 스토리 출판지도사로 전자책 출판 대행, 종이책 출판 대행, 책쓰기 코칭, 공저 프로젝트 진행할 것이다. 꿈으로만 꾸었던 책쓰기가 꿈에서 현실로 이룰 수 있게 된다.

책쓰기는 당신의 가치를 한순간에 높여주는 계단이 아닌 엘리베이터가 될 것이다.

이 글을 읽고 있는 독자도 책을 쓰고 출판지도사가 되어 자신의 삶을 더욱 빛내는 인생 2막을 함께 열어갔으면 한다.

최성모

베스트셀러 작가, 강연가, 교육자
010. 8894. 3220 csm225@hanmail.net

인천대학교 교육대학원(교육학석사)
성산효대학원 대학교(효교육학박사)

유아교육 40년
미주유치원·숲속실로암영재어린이집 이사장
cbmc 기독실업인회, 평생교육원, 성산효대학원.
저자특강, 독서모임 등 강의 1,000회 이상

한사랑나눔봉사단 단장, cbmc 기독실업인회 중앙회
부회장, 효지도교수, 다국어 스피킹 코칭 연구소
최고 수석위원, (사)출산육아교육협회 최고 교수위원,
한국지식문화원 출판지도사 대표강사

저서
「내아이 행복한 영재로 키우기」
「위대한 유아교육 지금이 골든타임이다」
「아빠와 함께 떠나는 그림책 여행」
「여행 한스푼 행복 한그릇」「성장하는 엄마 행복한 아이」

자기계발의 최고는
책쓰기다

"항상 기뻐하라. 쉬지 말고 기도하라.
범사에 감사하라."
- 데살로니가전서 5:16 ~ 18) -

악연(惡緣)과 선연(善緣)

우리는 날마다 많은 사람을 만난다. 그 만남이 악연이 되느냐 선연이 되느냐에 따라서 내 인생이 달라진다.

선연이 한 단계 업그레이드되면 나의 멘토가 되어 나의 삶에 날개를 달아주어 꿈을 이루게 해준다. 악연이 한 단계 업그레이드되면 철천지 원수가 되어 평생 나를 따라다니며 괴롭힌다.

날마다 만나는 사람들과 '해, 달, 별, 꽃, 나무, 물고기 잎새에 이는 바람까지 어느 것 하나 소중하지 않은 것이 없다. 선연도 내가 하기에 따라서 악연이 되기도 하고 악연도 내가 하기에 따라서 선연이 될 수 있다.

내가 존경하는 손양원 목사님은 두 아들 장례식장에서 9가지 감사기도를 하며 아들 2명을 죽인 원수를 살려서 양자로 삼았다. 우리는 감히 흉내조차 낼 수 없지만 최소한 만나는 사람들을 악연으로는 만들지 말아야 한다. 만나는 모든 사람이 선연이 되어 행복하게 살다가 천국에 가기를 소망한다.

내가 초등학교 다닐 때 엄마는 일을 시키고자 집에 와서 숙제라도 할라치면 일하기 싫어서 그런다고 혼을 냈다. 산에 가서 나무해오기, 불을 때면서 밥하기, 빨래하기. 지금 시대에 생각하면 상상할 수도 없는 일들을 초등학교 다닐 때부터 했었다. 그때는 엄마가 모든 것을 해주는 친구들을 부러워하며 일을 안 하는 게 축복인 줄 알았다. 그런 엄마가 그때는 원망스러웠지만 그로 인해 일을 무서워하지 않고 어떤 상황에도 문제를 해결하고 도전하는 힘의 원천이 만들어졌다. 지금의 나를 있게 해준 엄마가 지금은 한없이 고맙고 보고 싶다. 나를 아끼는 친척이나 아들은 그동안 고생을 많이 했으니 이제 편히 쉬라고 하지만 일의 즐거움을 알게 되고 일할 수 있는 게 큰 축복임을 깨달은 나는 천국 가는 날까지 일할 수 있게 해달라고 오늘도 기도한다.

나이를 먹으면 육체적 노동은 갈수록 힘들어져 전문가로 남아야 평생 일을 할 수 있다.

60세 전에는 텃밭에서 하루 종일 풀을 매고 꽃나무, 채소를 가꾸어도 괜찮았는데 60세가 넘으니 1시간이 넘으면 팔, 다리가 아파서 긴 시간 하기가 힘들어졌다. 정년퇴직이 갈수록 빨라지고 명예퇴직을 원하는 사회에서 100세 시대를 준비해야 한다. 하지만 나에게는 그런 걱정을 하지 않도록 평생 일할 수 있는 직업을 주신 것이 감사하다.

그렇다고 아무런 노력을 하지 않는대도 그 자리가 지켜진다는 것은 아니다. 나는 리더로서 방향을 잘 선정해야 한다. 방향을 잘 선정하기 위해서는 끊임없이 연구하며 공부해야 한다. 리더의 자리에 있는 나는 지금도 연구하고 공부하며 주어진 일에 최선을 다하고 있다.

밥 포드가 쓴 책 「하프타임」에는 하프타임의 고수들이 나온다. 고수들은 성공을 위해서 젊은 날에 열심히 살아 성공을 이루었지만, 인생의 뒤안길에서는 삶이 허전하다고 하였다. 하프타임을 거쳐서 방향을 성공에서 의미로 바꾸어 가치 있는 일을 해야 한다.

젊은 날에는 가족을 위해서 살았다면 이제 나를 위해서 의미 있고 가치 있는 나만이 할 수 있는 일을 찾아야 한다. 그동안의 삶은 헛된 것이 하나도 없다. 실패한 삶은 실패한 대로 성공한 삶은 성공한 대로 그 경험을 바탕으로 나만이 할 수 있는 전문가의 길을 찾아야 한다.

엄마의 호된 훈련으로 일이 두렵지 않던 나는 용감하게도 시부모님이 한해에 모두 돌아가시고 7세, 9세부터 시작한 시동생들이 있는 8남매 종갓집 맏며느리의 자리를 겁도 없이 선택하였다. 서울에서는 버티기가 쉽지 않아 모든 것을 정리하고 인천에서도 저렴하게 집을 구할 수 있는 주안역 뒤에서 자리를 잡았다. 그곳에서 학원을 시작으로 지금은 유치원, 어린이집을 운영하면서 아이들이 글로벌리더로 성장하도록 교육하고 있다.

교육전문가로서 지금 이 자리에 있기까지 나에게 큰 영향을 준 선연의 멘토들이 있다. 지금도 만남이 계속 이어지면서 하나님의 동역자로 함께 하고 있다.

우리는 누구를 만나느냐에 따라 인생이 달라진다.

전쟁은 겪으며 어린 나이에 부모가 다 돌아가시고 오빠 집에서 자란 엄마는 위안부에 끌려가지 않으려고 억지로 결혼을 했지만, 남편과 맞지 않아 집을 나왔다.

우여곡절 끝에 지금의 아버지를 만나 나를 낳았지만, 한이 많은 엄마는 원하지도 않은 내가 태어나 나를 구박하며 키웠다.

하나님이 어떤 분인지 신앙이 무엇인지 알지 못했지만, 엄마의 사랑도 못 받고 의지할 곳 없는 나에게 교회는 안식처였다.

서울대, 하버드대 나왔다고 모두 성공한 것도 아니고 성공하였다 하더라도 한순간에 나락으로 떨어지는 것을 보면서 일찍부터 크리스천으로 살면서 하나님을 의지하며 살아온 것이 나에게는 제일 큰 선연의 축복이다. 똑같이 노력했다고 똑같은 결과가 나오는 것은 아니다.

일이 잘되려면 하늘이 도와야 한다고 하였듯이 오늘의 이 자리는 내가 잘한 것이 아니라 하나님의 도우심이라고 인정하며 하나님께 영광 돌리며 글을 이어나간다.

내 삶의 많은 선연들이 있어서 오늘의 이 자리가 있음을 고백한다. 나의 닉네임은 축복의 통로이다. 나는 축복의 통로로 나를 필요로 하는 사람들에게 선연의 멘토가 되기를 소망한다.

책과 출판지도사가 만나면
꿈은 이루어진다

　신앙생활을 하면서 주일날은 거룩하게 보내고 일터에 나가서 신앙인으로 잘살아 보려 하지만 일주일을 지내고 보면 하나님이 주신 성령의 마음으로 살지 못하고 내 자아가 앞서서 내 생각대로 살 때가 많아 회개를 한다. 때로는 사탄에게 이끌려 나쁜 생각 나쁜 행동을 하면서 더욱 후회하기도 하였다.

　그런 생활을 반복하던 중 CBMC 기독실업인이라는 단체가 있는데 일터사역자로서 성경적 경영을 어떻게 할 것인가? 매주 모이며 나누는 단체가 있다는 것을 알게 되었다.

　CBMC 회원이 되어 열심히 참석하여 삶 속에서 하나님의 말씀대로 살아내고자 노력을 하며 포럼도 나누며 함께 하였다.

회원이 되면 중앙회에서 진행하는 비젼스쿨이라는 2박 3일 필수교육이 있는데 참석하여 여러 가지 교육을 받았다. 그중에 강규형 대표가 진행하는 자기경영을 잘하는 셀프리더십이라는 교육을 받으며 엄청난 충격을 받았다. 자기관리도 못 하면서 어떻게 리더가 될 수 있을까? 그 시간의 교육으로는 맛만 보는 거여서 자기경영연구소에 등록하여 1년이라는 시간 동안에 자기경영, 지식경영, 독서경영. 인재경영을 배우며 강사 자격까지 취득하였다. 나의 삶에 적용하였고 나아가 학부모, 교직원, 원장들에게 강의하였다.

비젼스쿨 시작 첫날 강의 중에 1년 목표 쓰는 시간이 있었다. 그중에 1년에 책 50권 읽기를 작정하여 기록하는 곳이 있었다.

1년에 10권 정도 읽는 것이 그런대로 잘한다고 생각하여 10권을 썼더니 1년에 50권을 읽겠다고 쓰라는 거였다.

"저 노는 사람 아니고 업무가 아주 바빠요?" 하였더니 강규형 대표는 클린턴 대통령보다 더 바쁘냐고 하면서 클린턴 대통령도 매일 1시간 시간을 내어서 책을 읽는다면서 작정하고 쓰라고 강요하였다. 나무를 자를 때는 열심히 자르는 것보다 더 중요한 것은 톱을 가는 시간이라면서 잘 드는 톱을 가지고 나무를 자를 것인지? 톱 갈 시간 없다고 무뎌진 톱을 가지고 나무를 자를 것인지? 어떤 것이 더 효과적인지 생각해 보라는 말에 아무 말도 못 하고 1년에 책 50권 읽기를 작정하고 기록했다.

그러면서 1주일에 책 1권 읽기를 도전하였다. 1년에 50권씩 책을 읽고 본깨적을 하다 보니 세상이 다르게 보였다. 책 속에 저자와 함께하는 것을 느끼면서 저자들의 삶을 배우며 성장하였다. 책이 중요한 줄은 알았지만 이렇게 삶에 큰 영향을 주는 것을 새삼 깨달아 갔다. 그 시기에 강규형 대표를 만나 훈련받지 못했다면 오늘의 나는 없었을 것이다.

아는 만큼 보인다더니 성공한 사람 중에는 의외로 독서광이 많음도 알게 되었다. 독서를 꾸준히 하다 보니 배움에 대한 열정도 생겨 그동안 못다 한 공부도 다시 시작하여 석사과정을 거쳐, 박사과정까지 마치고 박사학위를 받았다. 그리고 계속 책을 읽다 보니 책을 쓸 수 있겠다는 자신감이 생겨서 버킷리스트에 '베스트셀러 작가 되기'를 적었다.

아는 지인분께서 욕심도 많다며 어떻게 처음부터 베스트셀러 작가를 꿈꾸냐면서 웃음을 터트렸다. 정말 그랬다. 내 생각을 글로 쓴다는 게 쉽지 않았다. 독서 모임을 진행하며 책쓰기에 도전하였다.

혼자 쓰기 힘들어 책쓰기를 가르쳐 주는 곳에 신청하여 1년을 하다가 포기했다. 교회에서 자서전 쓰기가 있어서 또 등록을 했지만, 그 또한 쉽지 않아 포기했다.

책쓰기 강의가 있어 참석하였는데 책쓰기 작가가 질문하였다.

"책을 1년, 2년 걸려서 쓸 것인가? 남이 읽지도 않을 책을 쓸 것인가?"

본인에게 등록하면 2달 만에 책을 쓰게 해주며 읽고 싶은 책을 쓸 수 있게 해준다는 거였다.

그동안에 갖다 바친 수강료도 어마어마한데 지금까지 낸 수강료보다 2배나 넘는 수강료를 내야 하다니….

너무나 큰돈이라 집에 와서 일주일 고민하다가 비싼 수강료를 내고 배우기로 했다. 그렇게 돈을 냈지만 쉽지는 않았다. 그동안의 시행착오와 교육을 들으며 책을 썼다. 그렇게 많은 돈이 들었지만, 출판사를 만나 책을 내는 것은 온전히 나의 몫이었다. 다행히 많은 출판사에서 책을 내주겠다고 하여서 출판한 책이 '내 아이 행복한 영재로 키우기'이다. 책이 출간되고 2번이나 베스트셀러가 되었다. 처음 쓴 책인데 지금 읽어 봐도 잘 써서 읽으면서 감동한다.

그때는 책 쓰는 것으로 만족하며 더 이상 생각을 하지 않고 책이 출판된 것에 감사하며 인세 나오는 것은 아까워 쓸 수가 없어 필리핀 선교지에 전부 헌금하였다. 그 후 다시 책을 써야 하지 않을까? 생각만 하고 있는데 실천이 쉽지 않았다. 작년 2월에 박사학위를 받고 남은 제2의 인생 60세가 넘어서 나의 재능으로 나만이 할 수 있는 특별한 일이 무엇일까? 하나님이 기뻐하는 일이 무엇일까? 생각하며 기도하던 중에 권경민 작가를 만나 공저 책쓰기 강의를 듣게 되었다.

강의를 듣다 보니 책쓰기로 끝나는 게 아니라 책을 쓰고 나를 브랜딩하고 평생 일 할 수 있는 파이프라인을 만드는 것까지 했어야 했다. 책쓰기로 끝나 버린 그때가 아쉬웠지만 지금이라도 다시 해야겠다는 생각에 지인 원장님들과 공저 책쓰기를 시작하였다.

2달 만에 '성장하는 엄마 행복한 아이'를 출간하면서 3년여에 걸친 책쓰기의 실패와 성공들이 남들을 지도하는 데 엄청난 도움을 주게 되었다. 권경민 작가를 통해 기본 책쓰기부터 나를 브랜딩하여 나의 가치를 높이는 것과 책을 출판하는 출판사 자격증까지 모두 취득하여, 나누며 책쓰기를 가르치는 노하우를 배우게 되었다.

나를 브랜딩하기 위해 네이버 인물검색에 작가로 등록하여 나의 이력이 나오게 하고 블로그를 쓰면서 우리 원과 나를 브랜딩하였다. 책쓰기를 통해 지경이 넓어지고 내 생각이 정리되니 미래의 꿈도 정리가 되었다. 사람들에게 꿈을 꾸게 하고 그 꿈을 이루어지게 해주고 싶어서 꿈이교육연구소를 창립하였다.

나는 유치원. 어린이집에서는 아이들과 친해지고 책을 좋아하는 아이로 키우기 위해 그림책 들려주기를 하고 있다. 그림책은 0세부터 100세까지 읽는 책이어서 아이들에게 들려주면서 나 또한 힐링이 된다. 아이들은 우뇌가 발달 되어 있어서 그림을 통한 이미지를 보면서 상상하며 들으니, 어른보다 훨씬 큰 효과를 거둔다.

더 나아가 학부모 그림책 모임을 통해서 자녀에게 그림책을 들려주어 아이가 책을 좋아하고 부모와 소통을 하여 힐링이 되게 해주고 있다. 책을 좋아하여 꿈을 이루게 해주고 싶어서 학부모 그림책 모임을 정기적으로 하고 있다.

보통 사람들은 60세가 넘어서의 삶이 불안하고 꿈이 없어진다는데 나는 60세가 넘으면 펼쳐질 나의 미래가 기다려졌다. 그동안 살아온 결실들이 잘 맺을 거라 믿었기 때문에 기대가 되었다.

24년 새해가 되면서 67세가 된다. 남은 3년을 의미 있게 잘 보내야 70세의 새로운 인생을

맞이하리라. 얼마 전 105세 되신 김형석 교수님께서 강의 시간에 말씀하였다.

100세를 넘게 살고 보니 최고의 전성기가 70세 때였다고 하셨다. 그러면서 나이 어린 제자가 운전을 해줘서 오셨다고 하시길래 몇 살인데 나이가 어린 제자라고 표현할까 했는데, 제자 나이가 70이 넘었다

고 해서 웃었던 기억이 난다. 난 김형석 교수의 전성기 나이도 아직 안 되었다. 아직도 많은 일을 할 수 있음에 감사하면서 아침에 눈을 뜰 때 하나님 오늘 하루 또 선물로 주셔서 감사합니다. '가치 있고 보람 있게 소중한 시간 아끼며 잘 살게요.' 하면서 일어난다. 얼마나 더 살지 모르지만, 살아가는 하루하루가 소중하고 감사하다.

자기계발의 최고는
책쓰기이다

40여 년 부족한 것이(게) 많아서 많은 공부를 하다 보니 취득한 자격증도 20여 가지 된다. 몇 가지만 검사해 봐도 진로적성, 애착, 지금의 상황이나 미래 비전을 예측할 수 있다.

전문가로서 지금, 이 시대에 꼭 필요하고 내가 잘할 수 있는 것은 무엇일까?

생각하고 골라낸 것 중의 3가지가 그림책 교육, 셀프리더십, 책쓰기 코칭이다.

코로나로 인하여 시간이 많아 3년 전 버킷리스트인 첫 번째 책을 출간하였다. 나름 감동이었지만 다시 하는 게 쉽지 않아 생각만 하고 있었다.

그러던 중 작년 6월에 권경민 작가를 만나 책쓰기 공저를 시작하여 '성장하는 엄마 행복한 아이'를 써서 출간하였고 거기에 따른 전자책

'위대한 유아교육 지금이 골든타임이다'를 출간하였다. 또 기회가 되어 여행작가의 꿈을 안고 '여행 한 스푼 행복 한 그릇'을 공저했고 '아빠와 함께 떠나는 그림책 여행'을 전자책으로 냈다.

'엄마 유치원 갈래요' 그림책을 써서 출간 준비 중이고 '요셉이야기' 그림책은 아마존에 출시하기 위해 준비 중이다. 현역에 있으면서 1년에 6권의 책을 출간한 것을 보면서 나도 놀랐다. 이러한 노하우를 갖고 있으면서 실천하는 나에게 칭찬해 주고 싶다. 이제는 책 출판지도사가 되어 그동안의 노하우를 바탕으로 책쓰기 교육을 하고 있다. 나에게 날개를 달아준 권경민 작가에게 이 자리를 빌려 감사드린다.

지금 나는 나처럼 책을 쓰는 데 3년 걸리지 않고 8주 만에 쓰게 하고 있고, 또한 천문학적인 돈을 들이지 않고 한글만 알고 노력과 끈기만 있으면 책쓰기를 할 수 있는 노하우를 쉽게 알려주고 있다. 처음에는 반신반의하던 수강생들이 책이 출판되어 나오니 신기해한다.

이제 나의 책쓰기 수강생들인 원장님들의 책쓰기 8주 과정이 완성되어 책이 나온다. 포기하는 분 없이 모두 완성되니 너무 행복해하며 마무리하시는 것을 보면서 보람을 느꼈다. 여기에 나는 멈추지 않고 2월부터는 평생교육원에 책쓰기 강의를 시작한다. 신청하신 수강생 모두 포기하지 않고 책쓰기 출판까지 완성하도록 지도하려고 한다. 내가 다니는 교회에서도 강의 요청이 들어와 사모님반, 일반반으로 나뉘어 교육을 준비하고 있다.

나의 실패와 시행착오의 경험들이 다른 사람에게는 겪지 않게 해주니 그때는 힘들었던 실패들이 지금은 고맙게 느껴진다.

지금 실패하고 있는가?

분명히 언젠가는 지금의 실패가 열매를 맺는 데 큰 역할을 하리라 믿는다.

넘어졌는가?

걸림돌 되어 넘어지지 말고 디딤돌 되어 일어서라!

고난은 축복을 주기 전에 통과해야 할 관문이다. 고난이 없는 성공은 오래가지 못하여 금방 무너지고 감사하지 않으니, 행복도 길게 가지 않는다.

나의 60여 년의 삶을 돌아보면 초년 시절은 고난의 연속이었다. 아무리 노력해도 제자리걸음이고 원치 않은 결과들이 나를 힘들게 했다. 그래도 늘 긍정의 마음으로 살아내니 어느 날 축복을 부어 주셨다.

너무나 감사하여 '하나님 왜 저를 이토록 예뻐하시나요?' 물었더니, "착하고 충성된 종아 네가 작은 일에 충성을 다였으니 내가 많은 것을 네게 맡기리니 내 주인의 즐거움에 참여할지어다."(마태복음 5장 21, 23절) 이 말씀으로 응답해 주셔서 펑펑 울었다.

우리의 훈련이 어느 날 임계점에 닿으면 꿈은 이루어진다.

이루어질 때까지 포기하지 않는다면….

책쓰기의 3년의 긴 세월의 시행착오와 많은 금액의 수강료를 바친 것이 책쓰기를 가르칠 때 참고가 되니 오히려 감사할 따름이다.

책 출판지도사로서 책쓰기를 가르치는 것이 많은 에너지를 소모하지만 한 사람 한 사람을 살리는 길이기에 소명을 갖고 그 길을 가고자 한다.

나는 학부모님들을 대상으로 독서모임을 하면서 학부모님들께 책쓰기를 권장하였다. 한 학부모님은 독서모임을 통해서 성장하였고 이번에 나라에서 공모한 1억짜리 프로젝트에 선정이 되어 사무실을 얻는다며 감사의 인사를 전하였다.

독서는 나를 바로 세워준다. 독서와 책쓰기가 함께 병행되면 꼭 꿈은 이루리라 믿는다.

어려움 속에서도 책을 써서 성공한 사람들이 많다.

성공해서 책을 쓴 사람도 있지만 이지성 작가처럼 책을 써서 베스트 작가 되어 아버지가 진 빚도 다 갚고 경제적 자유를 얻어 성공한 사람들도 많다.

이제는 당신의 차례이다. 누구나 책을 쓸 수 있다. 책을 써라!

책쓰기를 통해 자기를 브랜딩하고 파이프라인을 만들어 나가자.

공저를 하면서 너무나 좋은 사람들을 만나면서 이 또한 나에게는 큰 선연이 되고 있다.

그동안 살아오면서 나에게 좋은 영향력을 줬던 수많은 사람들과 나의 사랑하는 가족, 교직원, 학부모, 우리 원을 거쳐 가서 꿈을 이루고 있는 사랑스러운 나의 제자들이 어디에 가서든지 잘 살기를 날마다 기도한다. 언제나 어디서나 나를 눈동자처럼 지켜주시고 함께해 주시는 하나님이 계셔서 더욱 감사기도 드리며 행복하게 하루를 맞이한다.

목숨을 걸며 책을 써서 지금까지 위대하게 남은 사람이 있다. 빅터 프랭클을 보면서 책쓰기에 도전하기 바란다.

철학 의학박사이며 교수의 삶을 살다 간 빅터 프랭클을 소개하여 꿈을 이루고 성공하는 데 도움이 되고자 한다. 빅터 프랭클은 1905년 오스트리아에서 태어났는데 어린 시절부터 호기심이 많았다. 봉사를 좋아하고 사람들을 돕는 것을 좋아했던 프랭클은 유아기 때 의사가 되겠다고 결심했다.

신앙심 깊은 부모님과 특히 정이 많으신 엄마. 책임감 강한 아빠에게 사랑을 받으며 자랐다

이런 환경에서 자란 프랭클은 고등학교 다닐 때부터 심리학을 공부하며 그 당시 영향력 있는 최고의 심리학자에게 서신을 주고받으며 박사 때도 쓰기 힘든 논문을 써서 보내어 국제 정신 분석 학회지에 실렸다. 대학을 졸업하고 개인이 열등감을 극복하도록 연구하여 도와주었다.

박사학위를 이수하는 동안에도 10대를 위한 무료 상담 센터를 7개 도시에서 운영하며 자살하는 학생 수를 줄였다. 많은 사람들에게 존경을 받으며 유럽 전역까지 유명해져서 대학이나 큰 모임에 초대를 받았다. 의과대학 졸업 후 정신병원 책임 의사로 일하다 병원을 개원하였다 개원한 지 몇 달 안 되어 전쟁이 일어나 나치를 피해 부모님이 있는 고향으로 내려와 집에서 정신과 진료를 이어갔다. 전쟁 중에도 결혼하고 책쓰는 일을 계속했다. 부인과 부모님이 수용소에 끌려가고 아버지는 굶주림으로 사망했다. 그런 상황에서도 동료 수용자와 자신을 짓누르는 심리적인 상황을 계속 연구하였다 자살을 막기 위해 수용자들이 고통에서 의미를 발견하도록 도왔다. 어머니는 살해당하고 아내는 다른 수용소로 이동되는 과정에서 비탄에 빠졌지만, 그 상황에도 책쓰기를 하였는데 원고가 나치에게 발각되어 파기됐다. 사람들에게 삶에 희망과 의미를 주기 위해 썼는데 뺏긴 것이다.

원고를 빼앗겼지만, 반드시 다시 쓰겠다는 목표가 있어서 모진 고초를 겪으면서도 살아남을 수 있었다. 아내, 어머니, 형, 형수가 모두 살해당해도 책을 쓰겠다는 결심으로 힘을 얻어 결국에는 책을 출판하였다.

책 초판이 불과 며칠 만에 팔리고 유명한 책이 된 「죽음의 수용소」에서는 삶의 의미와 회복력 극심한 역경 속에서도 삶을 받아들이는 자세의 중요성을 담았다. 빅터 프랭클은 프리드리히 니체가 말한 '살아야 할 이유가 있는 사람은 모든 어려움을 어떻게 해서도 거의 견뎌 낸다.'는 말을 인용하여 수많은 사람에게 희망을 주고 치유를 해주었다.
- 퓨쳐 셀프에서 발췌 -

책을 쓰려고 하면 여러 핑계가 생길 것이다. 빅터 프랭크만큼 어려운 사정은 아닐 것이다.

이순신 장군도 전쟁 중에 시를 쓰고 난중일기를 써서 우리에게 더욱 훌륭하게 기억되는 것이다. 두려워하지 말고 멘토를 잘 만나서 책쓰기를 시작하자.

황 경 하

5분에 책1권 읽기 송파집중력 향상센터 대표
작가, 여행작가, 강연가,
010. 4017. 5057 hkh250@naver.com

학력
국어국문과 전공

강의 경력
초, 중, 고 교육20년
한국지식문화원 대표 출판지도사
한국지식문화원 대표강사
치유하는 글쓰기 코칭
여행작가 되기 코칭
책쓰기 코칭

저서
「세상을 바꾸는 우리:
1인 지식기업시대 당신도 주인공이 될 수 있다」
「여행 한 스푼 행복 한 그릇」
「돈이 되는 퍼스널 브랜딩 이제는 우리가 주인공」
「누구나 평생 써먹는 돈버는 속독법」

평생 현역으로 사는 책 쓰기
꿈을 이루는 출판지도사

"가장 큰 공부를 하고 싶은가? 인생의 변화를 가져오고
싶다면 책 쓰기를 하라. 책 쓰기가 가장 큰 공부다."
- 〈책 잘 쓰는 법〉 윤영돈 -

읽고 쓰고 증명하는
출판지도사

쓰기 위해서 읽고

"작가가 되고 싶다면 반드시 해야 할 일이 2가지 있다. 많이 읽고 많이 쓰는 것이다. 내가 아는 한 그걸 대체할 방법은 없다. 빨리 가는 지름길도 없다." 스티브 킹은 〈유혹하는 글쓰기〉에서 이야기했다.

삶이 고단할 때 책을 읽기 시작했다. 책을 읽을 때는 잠시라도 심란한 마음을 잊을 수 있었다. 책 읽기를 하면서 인생이 바뀌었다. 평소에는 책을 읽지 않아서, 처음에는 책 한 권 읽는 읽기도 힘들었다. 책을 읽기 시작하면서 독서의 재미를 알게 됐다. 책을 한 권씩 읽으면서 책에서 읽은 내용을 생활에서 하나씩 실천했다. 책을 읽고 제일 중요한 것은 한가지라고도 실천하는 것이다.

책을 읽는 것은, 나만의 보물찾기와 같다. 한 권의 책 속에서 내 삶을 변화시키고 성장시킬 수 있는 보물을 찾아가는 여정이다. 나의 문제를 해결하기 위해서 책을 찾아 읽었다. 독서도 일단 질보다 양이 많아야 지식의 퀄리티가 높아지게 된다. 책 읽기는 개별적으로 존재하고 읽게 된다고 생각하지 않는다. 책을 읽다 보면 책끼리 서로 연결이 된다. 자신의 인생과도 연결이 된다. 그런데, 다독이 아니라 읽는 양이 적었다면 연결의 폭이 좁을 수밖에 없다. 책을 많이 읽으면 읽을수록 연결의 폭이 기하급수적으로 늘어난다.

처음에는 책 읽기에만 재미를 붙였다. 책을 어느 정도 읽다 보니까 책쓰기를 하고 싶다는 마음이 들었다. 평생 현역으로 살기를 바란다면 내 이름으로 된 책을 써라! 라는 문구를 책에서 읽었다. 이 문장에서 정신이 번쩍 들었다. 내가 마음속으로만 생각했던 일인데, 다른 작가들도 책쓰기가 중요하다고 이야기하고 있다.

처음 책은, 나를 브랜딩하는 공저를 썼다. 책을 처음 써보기 때문에 설렘 가득 안고 책을 썼다. 책쓰기는 일반 글쓰기와 다르다. 글쓰기는 내 생각을 자유롭게 쓸 수 있다. 하지만 책쓰기는 어느 정도 틀에 맞게 써야 한 권의 책으로 나온다. 책쓰기는 일반 글쓰기보다, 많은 것을 배우고 나 자신이 성장하게 됐다. 책만 읽고 일반 글쓰기만 하고 있었다면 짧은 시간에 이렇게 많이 성장하지 못했을 것이다.

처음에는 글을 썼다 지우기를 반복했다. 어떻게 책을 써야 하는지 배우긴 했지만, 처음 책을 쓰는 일은 쉬운 일이 아니다. 자신이 살아온 인생을 쓰면 책이 된다. 자신이 가지고 있는 지식과 경험이 책이 되고, 콘텐츠가 되는 세상이다. 내가 직접 책을 쓰면서 왜 평생 현역으로 살아가기 위해 책쓰기를 강조하는지 이해가 됐다. 책을 쓰고 평생 현역으로 사는 사람들이 많다는 것도 알게 됐다.

작가가 되기 위해서는 많이 읽고 많이 써봐야 한다는 것은 잘 알고 있다. 하지만 현실은 그렇지 않다. 너무 현란한 볼거리가 많은데 정적인 문자로 된 책이 우리의 흥미를 끌 수 없다. 영화나 컴퓨터 게임이나, SNS로 볼 수 있고 놀게 현대 사회에는 많다. 하지만, 책을 읽고 책쓰기에 빠지면 다른 일이 재미있게 느껴지지 않는다. 일단 먼저 책부터 읽기 시작해야 한다. 글을 잘 쓰기 위해서는, 다독, 다작, 다상량이, 세 가지에서 벗어나 글을 쓸 수 없다.

읽기 위해서 쓴다

책 읽기가 재미있고, 책을 읽으면서 책을 쓰는 작가가 됐다. 짧은 시간에 여러 권의 책을 쓸 수 있었다. 책이 8주 만에 나왔다. 책을 쓰는 과정, 책이 나오는 과정을 배우게 됐다. 이제는 책을 읽기만 하는 시대는 지났다. 책을 읽기만 할 때 보다, 책을 쓰면서 자료를 찾아가며 공부했다, 내면 의식이 성장하게 됐다. 읽고 쓰기를 증명하는 것이 책쓰기다.

책을 쓰면서 가슴이 뛰었다. 내가 가지고 있는 지식과 경험으로 다른 사람들에게 선한 영향력을 펼치고 싶다고 생각했다. 책쓰기를 원하는 예비 작가들이 많다. 예비 작가들은 혼자서 책을 쓰는 것은 어려운 일이다. 책쓰기와 책 출판에 대한 전반적인 지식을 가지고 있는 전문가의 도움을 받으면 더 빨리 책을 쓸 수 있다.

예전에는 책쓰기는 유명한 사람들이 쓴다고 생각했다. 하지만, 이제는 누구나 책을 쓰고, 작가가 되는 세상이다. 스펙보다 평생 현역으로 살아가야 하는 시대가 됐다. 인생 2막 평생 직업을 구체적으로 생각하게 되었다. 책을 쓰면서 출판지도사 자격증이 있다는 것을 알게 됐다. 출판지도사 자격증에 도전하게 됐다. 자신의 전문 분야와 연계해 앞으로 어떤 일을 하며 살까? 끊임없이 생각하고 나에게 질문했다.

한국지식문화원 권경민 대표님께 출판지도사 자격증 수업을 받았다. 권경민 대표님은 아낌없이 주는 나무다. 자신의 노하우를 아낌없이 가르쳐 준다. 출판지도사 자격증은 온라인으로 5주 동안 수업받았다. 책도 같이 쓰고, 출판지도사 자격증도 같이 공부했다. 남다른 동지애가 생겼다. 출판지도사 자격증 공부하면서, 책 출판에 대해 이해하기 시작했다. 책을 쓰면서 궁금증이 풀리기 시작했다. 새로운 출판 세계는 재미있다.

자격증을 선택할 때 요령은 그 자격증이 고유의 업무 영역을 가지고 있는가? 해당 업무 영역에 실질적인 수요가 있는가? 바로 업무 영역을 확보하고 수익화할 수 있는가? 공공기관이나 기업체에 강의 수요가 있는가? 꼭 따져봐야 한다. 그동안 여러 자격증을 따놓고 사용하지 않은 자격증도 있다. 출판지도사 자격증은 바로 수익화 과정이 가능하다.

작가들은 다른 출판사에서 모든 일을 해주기 때문에 출판 과정을 정확히 모르고 있다. 작가라면 더 많은 전문 영역을 넓힐 수 있다.

책쓰기 코칭, 지자체 책쓰기 강의, 독립출판사 운영, 전자책 출판 대행, 도서관, 평생학습관, 등 다양한 곳에서 수익화하며 활동할 기회가 많다. 출판지도사의 매력이다.

예비 작가들은 책을 써놓고 출판사와 연결이 어려워 책을 출간하지 못하는 경우가 많다. 출판지도사 자격증이 있어서 바로 출판사와 연결해서 책 출간까지 한 번에 해낼 수 있다.

작가 소리 듣지 말고
평생 작가로 사는 출판지도사

내 인생 스토리가 책이 된다

처음 책을 쓸 때 무엇을 어떻게 쓸까 하는 고민을 많이 했다. 주변에서도 자신의 이름으로 책을 쓰고 싶어 하는 예비 작가들이 많다. 잘난 사람, 재주 있는 사람이 책을 쓰는 것이 아니다. 책을 쓰는 사람이 재주 있는 사람이 되는 것이다. 자신을 넘어선 사람이 책을 쓰는 것이 아니라, 책을 쓰는 사람이 자신을 넘어서는 것이다.

자신의 한계를 넘어선 사람은 인생 스토리가 있다. 자기의 경험과 지식을 책으로 쓸 수 있다. 자신이 제일 잘하는 일, 현재 하는 일 모두 책쓰기 주제가 된다. 자신이 하는 일을 책으로 쓰면서 다른 사람에게 어떤 도움을 줄 수 있는지 생각하면 책을 쓴다. 그러면 누구나 작가가 될 수 있다.

책쓰기는 자기 자신을 찾아가는 시간이다. 책쓰기로 내가 누구인지 알게 됐다. 그동안 몰랐던 나를, 표현하지 못했던 나를 마음껏 끄집어내 표현함으로써 그 일을 하게 된다. 지금 내가 누구인지 알고 싶다면 책쓰기를 해야 한다. 나는 책을 쓰면서 지나온 내 삶을 돌아봤다. 삶이 고단할 때 어떻게 극복했을까? 생각해보니까 독서와 글쓰기가 있어 극복할 수 있었다.

책쓰기는 나를 발전시키고 성장하게 하는 최고의 공부법이다. 하나의 책을 쓰기 위해서는 많은 양의 자료수집과 공부를 했다. 자료수집과 공부하면서 자기계발과 성장할 수 있기 때문이다. 책을 쓰면서 내가 지금 알고 있는 것 보다, 더 자세히 알고 싶고 제대로 공부해보고 싶은 욕심에서 책을 쓰게 된다. 책을 쓰다 보면 쓰고자 하는 주제에 대해 깊이 파고들어야 한다. 그러니 자연스럽게 체계적이고 깊이 있는 공부가 된다.

처음 책을 쓰는 예비 작가들은 혼자서 책쓰기 어렵다. 책쓰기는 일반 글쓰기와 다르기 때문이다. 출판지도사 자격증이 있는 전문가의 도움을 받으면 책쓰기가 더욱 재미있게 느껴지고, 끝까지 해내는 힘이 생긴다.

당신은 당신이 누구인지 알고 있나요?

당신의 재능을 알고 있나요?

그동안 한 번도 표현하지 않았고, 인생 자체가 내가 주인공이 아니라 다른 사람에게 맞추는 인생을 살았기 때문에, 많은 사람이 자기 자신에 대해 모른다.

학원을 운영하면서, 책 읽기를 지도하고 글쓰기를 지도하고 있다. 예를 들어 학생들에게 누구를 소개하는 글을 쓰게 한다. 학생들이나 성인도 다른 사람을 소개하는 글은 아주 잘 쓴다. 자신을 소개하는 글을 쓰게 한다. 학생들이나 성인들이 자신을 소개하는 글쓰기를 제일 어려워한다. 마지막엔 무엇을 하든지 자신을 찾아가는 일이다.

책을 쓰고 싶다면, 자신에게서 출발하면 책이 된다. 내가 좋아하는 것, 잘하는 것, 그리고 가슴설레는 일에서 시작하면 책을 쓸 수 있다.

퍼스널 브랜딩을 위한 최고의 방법은 책쓰기

"사람들은 책을 쓴다. 바쁘다고 아우성치면서도 돌아앉아 책을 쓴다. 왜 그렇게들 책을 쓰는 것일까? 블로그처럼 재미 삼아 쓰는 것도 아니고, 술자리와 밤을 줄여가며 왜 그렇게들 쓰는 것일까? 쓰는 사람마다 동기는 다르겠지만 그들 누구나 손꼽는 이유 하나가 있다. 책쓰기가 가장 값싸고 가장 빠르고 가장 효과가 확실한 자기 마케팅 수단이라는 것! 당신의 수고로움만 뺀다면 비용도 전혀 들지 않는다."
〈당신의 책을 가져라〉 -송숙희-

〈당신의 책을 가져라〉에서 송숙희 작가는 퍼스널 브랜딩의 최고 좋은 방법은 책쓰기라고 말한다. 책은 나를 나타내는 명함이다. 책이 있으면 명함을 들고 다니지 않아도 책이 대신해서 일해준다. 가장 빠르고 가장 효과 좋은 마케팅 수단이다. 나도 책을 쓰면서 학원에 상담하는 학부모님께 책으로 나를 알리고 있다. 책을 썼다고 보여주면 더욱 쉽게 상담할 수 있고, 나를 더 믿게 됐다.

책을 쓰면 네이버 인물등록이 가능하다. 네이버에 내 이름을 검색할 때 나오면 자연스럽게 홍보가 되고, 브랜딩이 되기 때문이다. 출판지도사 자격증을 공부하면서 알게 됐다. 사람들은 검색부터 해본다. 검색할 때 내 이름이 나오면 기본적으로 신뢰한다. 네이버 인물등록에 황경하 작가로 등록했다. 나를 홍보하고 내가 하는 일을 알리는 수단이 됐다. 요즘 1인기업으로 성공한 사람들을 볼 수 있다. 1인기업으로 성공하기 위해서는 내 이름을 알려야 한다. 자신을 알리는 최고의 방법은 책쓰기다.

상상력과 창의성이 절실히 요구되는 시대다. 내가 어떤 사람인지, 어떤 문제를 해결해 주는 사람인지 명확하게 브랜딩 되어 있어야 한다. 이것이 바로 '퍼스널 브랜딩'인데, 그중 흔들리지 않는 퍼스널 브랜딩을 위해 필요한 것이 바로 '책을 쓰는 것'이다.

책쓰기를 통해 자신의 콘텐츠를 구체적이고 체계화시킬 수 있다. 책을 쓰면서 그 분야를 좀 더 확실하게 자기 생각을 정리하는 시간이 됐다. 퍼스널 브랜딩은 자신을 기업으로 알리는 것을 말한다. 다른 사람들은 회사 이름을 브랜딩하는데, 퍼스널 브랜딩은 내가 기업이 되는 것을 말한다.

나를 전문가로 인정하고 찾아오게 하는 것이 책쓰기로 브랜딩하는 것이다. 사람들은 결과를 중요하게 생각하게 한다. 전문가로 인정할 수 있는 결과물을 보여줘야 믿는다. 내가 전문가라는 것을 어떻게 보여줄까? 가장 좋은 방법은, 내 이름이 들어간 책이 있으면 전문가로 인정받는다.

인생 2막을 위해 평생 현역으로 사는 책쓰기

'100세 시대'라는 말이 통용되는 시대다. 한국인의 기대수명은 83.6년으로, 경제협력 개발 기구(OECD) 국가 중 일본, 스위스에 이어 세 번째로 긴 것으로 조사됐다. 이렇게 평균 수명이 늘어난 상황에서 '인생 2막'은 이제 선택이 아니 필수가 됐다. 통계청 자료에 따르면, 국내 평균 퇴직 나이는 49세, 기대수명대로라면 퇴직 후에도 무려 30년 이상을 더 살아야 하기 때문이다. 시기 차이만 있을 뿐 누구도 피할 수 없고, 인생의 한 과정으로 겪어야 하는 인생 2막이다.

이제는 시대가 바뀌었다. 시대가 바뀌었으니, 바뀐 시대에 맞춰 살아야 한다. 평생 현역으로 살기 위해 책쓰기를 해야 한다. 책을 쓰면, 생활에 활력이 생기고, 미래가 달라진다.

100세 시대 청년층부터 인생 2막 설계하는, 신중년까지 책쓰기에 도전하고 있다. 나도 인생 2막을 위해 평생 현역으로 사는 방법이 뭐가 있을까? 하며 고민한 날들이 많았다. 그래서 책쓰기에 도전했고, 이제는 짧은 시간에 4권의 책을 쓴 작가가 됐다. 선택과 집중을 했기 때문에 가능했다.

책을 쓰면서 꿈을 이뤘다. 책을 읽으면서 책을 쓰고 싶다는 생각을 많이 했다. 책을 쓰면서 사업가와 강연가와 작가가 됐다. 그리고 전문가로 인정받았다. 학원을 운영하며 배우고 깨달은 것을 책에 썼다. 업무와 관련된 내용을 책으로 썼다. 많은 사람이 궁금해하는 것을 책에 썼다. 사람들은 나를 전문가로 인정했다. 이것이 책 마케팅의 힘이다.

책을 쓰는 것은 가지고 있는 지식과 경험을 다른 사람들과 공유하는 좋은 방법이다. 자신의 전문 분야나 관심 분야 책을 쓰면, 독자들과 지식을 교환하고 영감을 주고받을 수 있다. 이를 통해 다른 사람들의 삶에 긍정적인 영향을 줄 수 있다. 책을 쓰는 과정에서는 아이디어를 구체화하고, 그것을 효과적으로 표현하는 방법을 연습할 수 있다. 글을 쓰면서 자신의 창의력을 발휘하고, 아이디어를 다양한 방식으로 전달해 볼 수 있다. 이를 통해 창의력과 표현력이 향상될 뿐만 아니라, 자기 생각을 정리하고 명확하게 전달할 수 있는 능력도 키울 수 있다.

진정한 나를 찾는다는 것은 무엇일까? 바쁘게 돌아가는 현대 사회 속에서 많은 사람이 지금 하는 일이 자신이 진정 원하는 일인지, 지금의 모습이 자신이 정말 원하던 모습인지 한번 생각해볼 기회도 없이, 숨 가쁘게 살아가고 있다. 그렇다면 우리는 한 번뿐인 인생을 주위 상황에 휩쓸리면서 자신을 잃고 살아가는 것으로 끝내야 할까?

인생 2막 자기계발에 투자해야 한다. 60대 70대에도 자기계발에 투자한다.

〈나는 동대문 시장에서 장사의 모든 것을 배웠다〉 이순희 작가는 71세에 책을 썼다. 동대문 시장 스카프매장 대표. 억대 빚을 안고 동대문 시장에서 장사를 시작해 여러 차례 위기를 맞았지만 불굴의 의지로 매진, 스카프 장사가 크게 성공하면서 스카프 장사의 신이란 별명을 얻었다. 지금은 강연가로 활동하고 있다. 책을 썼기 때문에 71세에 평생 현역으로 살고 있다.

미친 꿈에 도전하는
출판지도사

"나는 글쓰기를 배우고 싶다는 사람들에게 책쓰기부터 권합니다. 책은 특정한 내용을 담아내는 것이니 책쓰기를 먼저 시도하면 글로 책으로 전할 아이디어를 건지게 되고, 그 아이디어로 글쓰기를 권하면 글쓰기 실력이 일취월장합니다. 글쓰기를 배우겠다는 사람에게 책쓰기를 권하는 것은 아이디어라는 황금씨앗부터 마련하자는 주문입니다. 제대로 된 아이디어 하나면 글, 책, 강연, 교육, 코칭, 컨설팅까지 돈 버는 하마를 만들 수 있습니다."〈백만장자 작가 수업〉 -송숙희-

글쓰기보다 책쓰기부터 권한다는 말이 인상적이다. 책을 직접 써보니까 책쓰기가 진짜 공부다. 내가 쓰려는 책과 비슷한 내용의 책이 많이 출간되었다. 책을 쓰기 위해서는 많은 자료수집이 필요하다. 자료를 수집하고 분석하면서 공부가 시작된다. 자료수집은 경쟁 도서를 분석해야 한다. 경쟁 도서를 분석하면서 읽게 되면서 전문가가 된다.

성동 50플러스에서 여행작가 모집이 있었다. 평소에도 여행을 좋아했다. 한때는 여행작가 꿈이었다. 그래서 무조건 등록했다. 8주 동안 수업을 듣고 책 출판 기념회까지 열었다. 8주 만에 책이 나오는 일은 대단한 일이다. 큰 꿈을 가지고 꿈에 도전하라고 이야기하고 싶다. 꿈이 있으면 꿈을 위해 노력하게 된다.

꿈이 없으며 무엇을 해야 하는지 모른다. 그냥 하루하루 지나가 버린다. 꿈 이야기하면 누구는 식상하다고 말하는 사람도 있다. 〈내가 상상하면 현실이 된다〉에서 나는 가슴이 이끄는 대로 살고, 새로운 것에 도전하며, 상상한 것을 실현한다. 내 꿈과 열정에 솔직한 것, 그것이 내 삶이고 경영이다. 리처드 브랜슨이 이야기한다.

용기 내서 일단 해보자. 새로움에 도전하고, 즐거움에 미쳐라! 미친 꿈이 시작된다.

출판지도사 자격증이 나오고 제안서를 만들었다. 강의 제안서에 수업 커리큘럼, 출판지도사 자격증도 넣었다. 제안서를 여러 곳에 직접 찾아가 제출했다. 서울에 있는 여러 50플러스, 평생학습관, 문화원, 도서관 강의할 곳은 많다. 강의 제안서를 본 교육 담당자들은 출판지도사에 관심을 보였다. 이런 자격증도 있어요? 라고 질문하는 경우가 많았다.

출판지도사 자격증 과정

1. 강사 소개 및 출판지도사 자격증 소개 : 민간 자격 선택 요령, 자격증 취득 후 활동에 관해 공부해야 한다.
2. 출판산업 이해 : 출판 과정, 용어, 출판방식, 인쇄, 비용, 유통을 이해해야 한다.
3. 책쓰기 코칭 실무 : 출판 목적, 타깃, 주제, 제목, 목차, 글쓰기, 인용, 필사, 벤치마킹, 퇴고까지 할 수 있도록 지도해야 한다.
4. 책쓰기 강사 출강 실무 : 강의 제안서, 강의 섭외, 수강생 관리, 저작권, 초상권, 출판 기념회로 마무리해야 기억에 오랫동안 남아 있다.
5. 책쓰기 코칭 과정, 공저 출판 과정 운영 : 과정 모집, 운영, 홍보 노하우, 출판 계약서를 작성한다.
6. 전자책 발행 유통 : 무료 전자책 출판 플랫폼, 유통사 계약 직거래를 알고 전자책쓰기를 지도 해야 한다.
7. 종이책 발행 유통, 대행 : 무료 출판 플랫폼, 유통사 계약 직거래, 유통 방식 선택을 작가들이 할 수 있도록 한다.
8. 출판사 설립 및 운영 : ISBN, 발행자 번호, 출판사 설립, 세무, 유통사 계약, 유통 실무, 외주를 주는 방법이 있다는 것을 지도한다.
9. 자격증 시험 및 발급 수령 : 시험 응시, 출판지도사 자격 과정 운영 등, 출판지도사가 하는 일이 많다.

책 한 권이 세상에 나오기까지 많은 일을 거쳐야 비로소 책 한 권이 된다. 출판지도사 자격증 과정을 배우면서 새로운 일에 도전하며 자신감이 생겼다. 책쓰기로 평생 현역으로 사는 법을 알게 됐다.

출판지도사는 매력 있는 직업이다. 글쓰기, 책쓰기의 가치를 알리고, 꿈꾸고 있는 일들을 꿈을 이루며 살 수 있게 돕고 싶다. 내가 책을 읽고, 책을 쓰며 성장했듯이, 다른 사람도 성장하기를 바라며 돕고 싶다. 강연가를 보면서 멋지다고 생각했다. 내 꿈에 한 발씩 다가가고 있다.